CW00403232

Mon Histoire

Portrait en couverture : Henri Galeron

© Gallimard Jeunesse, 2008, pour le texte

Brigitte Coppin

Au temps de François Ier

JOURNAL D'ANNE DE CORMES, 1515-1516

GALLIMARD JEUNESSE

*Tours, dimanche de Pâques
de l'année 1515*

Lorsque je me suis réveillée tout à l'heure, les cloches de Saint-Martin carillonnaient à tue-tête ; plus loin, celles de la cathédrale Saint-Gatien leur répondaient avec allégresse. Alors que le rai de lumière au bas de mon volet grisonnait à peine, un furieux remue-ménage secouait la maison. C'était l'aube d'un grand jour et chacun s'activait déjà. Aujourd'hui nous fêtons Pâques ainsi que le début de la nouvelle année. En ouvrant ma fenêtre, je me suis dit que c'était l'occasion de commencer à écrire. Écrire quoi ? Tout et rien, les grands moments et les petits gestes, le bonheur et la tristesse. Et l'amour bien sûr, lorsqu'il se présentera.

Au soir de mon anniversaire, le vingt-cinquième jour de février, j'ai signé ce pacte avec mon amie Charlotte Hurault, et j'attendais un signe pour débuter. À partir de ce jour, j'écrirai le plus souvent possible. Charlotte fera de même. Page après page, nous confierons nos secrets, nos découvertes, et nous apprendrons à mieux connaître notre cœur. À chaque saison, nous échangerons nos cahiers. Enfin, peut-être. C'est là une idée de Charlotte et je ne suis pas sûre de m'y tenir. Nous ne cesserons cet exercice que lorsque nous aurons trouvé un mari... « Trouver » n'est guère le mot qui convient ! Nos mères ne vont pas tarder à nous présenter des prétendants ou les autoriser à se déclarer. Il y aura foule. Le plus difficile sera d'en choisir un, de l'accepter comme époux, d'essayer de l'aimer. J'ai quinze ans depuis peu. Rien ne presse. Il me semble pourtant que l'une des prochaines préoccupations de ma mère sera de marier sa fille.

Aujourd'hui s'achève le carême. La messe sera suivie d'un plantureux repas, fort bienvenu après une éternité de privations. Je cherche dans ma mémoire le goût des cailles rôties et du salmis de lapin que j'aime particulièrement. Quant aux darioles, tartelettes, confitures et autres friandises, j'ai même failli en oublier le nom !

Les cloches sonnent toujours. C'est joli, ce message de renouveau dans le matin frais. Quelles belles surprises nous promet l'année qui commence ? En attendant les cadeaux tombés du ciel, il faut que je m'habille et que je déjeune car la messe va traîner en longueur et le repas de Pâques sera servi tardivement. Je vais appeler Mariette pour qu'elle m'apporte ma robe de fête que nous avons époussetée et rafraîchie hier.

Mariette ne répond pas. À coup sûr, elle est dans la cuisine à discuter argent avec mon père. Pâques est aussi le jour où l'on augmente les salaires et elle a bien raison de réclamer son dû au maître de maison, pour une fois qu'il est au logis.

Assurément, elle aura à batailler contre lui. Chez nous, ce n'est pourtant pas l'argent qui manque ! Mon père, Pierre Briçonnet, est notaire et secrétaire du roi. Il appartient au corps des importants messieurs sans lesquels le roi, si puissant et magnifique soit-il, n'aurait pas un denier en poche. Mon père est riche. Ses oncles, ses cousins le sont aussi, ses frères et beaux-frères plus encore. Une dynastie de gens fortunés et influents, entretenue par des mariages habilement arrangés, voilà la famille à laquelle j'appartiens. Sixième et dernier fils, mon père a voulu d'abord partir sur la mer vers les trésors de l'Orient. Il parle rarement de ses années d'aventures et laisse peu paraître de ce qu'il a. Nous possédons une confortable maison à Tours dans le quartier Saint-Martin, une autre à Orléans, une encore à Paris près du château du Louvre. Mon père a également hérité du domaine de Cormes au nord de la Loire. C'est une terre noble, avec un charmant manoir planté dessus, et c'est l'endroit que je préfère au monde.

Ah, j'entends le pas de Mariette dans l'escalier de la tourelle. La mignonne a même pensé à monter un seau

7

d'eau chaude ! Elle fredonne. Elle a dû gagner la partie. Mariette est un vaillant petit soldat. Et moi, une jeune fille oisive qui n'a rien d'autre à faire que d'enfiler sa robe et va tout de même trouver le moyen d'être en retard !

❧

9ᵉ jour d'avril

Hier soir, j'étais trop fatiguée pour écrire. Il n'y a rien de plus épuisant que de passer la journée à banqueter. J'en ai vu hier des étoffes trop tendues sur les ventres rebondis, des visages cramoisis, des épaules tombantes sous le poids des bijoux et de l'ennui ! Quel affreux spectacle que la fin d'un banquet ! Même quand l'ensemble des convives constitue la haute société tourangelle et que le lieu est la splendide maison de notre cousin Jacques de Beaune.

Après le repas, au moment où nous sortions dans la cour, le ciel a viré au gris-noir et les dames ont poussé des hauts cris, craignant de mouiller les taffetas et les velours de leurs parures. À défaut de folâtrer dans l'air vif ou de courir après les poules de Pâques, nous sommes restés confinés sous les arcades de la galerie à dire des bêtises en suçotant des pruneaux au sucre et de petits lapins en massepain. J'en ai caché deux dans ma manche, après leur avoir grignoté les oreilles, pour les offrir le soir à Mariette lorsqu'elle m'a apporté ma tisane.

De son côté, Mariette avait l'air bien réjouie. Elle venait de passer la journée avec son amoureux du côté de Notre-Dame-la-Riche. Quelle chance elle a de se faire câliner et bécoter sans que personne ne s'en mêle ! J'imagine les yeux de ma mère si elle me surprenait dans les bras d'un homme ! Pauvre Mariette. Elle n'a plus de famille et pas d'argent. Elle n'intéresse personne par ce qu'elle a, mais au moins elle plaît à quelqu'un pour ce qu'elle est. Moi, jamais je ne pourrai démêler les deux et ne saurai jamais pour quelle vraie raison l'on m'a choisie... J'écris comme si c'était déjà fait ! Alors que le bal des prétendants n'est pas ouvert ! Il sera temps d'en reparler dans quelques semaines.

Après souper

Je ris toute seule en relisant ces quelques mots griffonnés par Charlotte que je reçois à l'instant :

« J'ai choisi l'encre rouge, c'est du meilleur effet ! »

Elle aussi s'y est mise. Elle a donc changé d'avis !

Hier à la fin du repas, je lui glisse que j'ai commencé à écrire. Elle sourit et me répond :

– Moi j'attends.

– Tu attends quoi ?

– L'arrivée du roi.

Je l'ai regardée, bouche bée. C'était bien la dernière raison à laquelle j'aurais pensé.

– Eh bien oui. Te rends-tu compte ? Ce roi jeune, beau, chanceux ! Son règne sera unique. Il y aura tant de choses à découvrir, à goûter, à raconter !

Son enthousiasme l'emportait. En l'entendant s'animer ainsi, des jeunes gens se sont rapprochés. Le sujet les passionnait. Ils avaient tous leur mot à dire et ils étaient plutôt de l'avis de Charlotte. Du coup, je passais pour une sotte ! Et Charlotte, si délicieuse amie soit-elle, jubilait. Elle a poursuivi avec eux cette discussion enflammée. Il y avait là mon cousin Jacques Briçonnet, un fils de Beaune, le jeune Philippe Hurault et Guillaume Binet. À les écouter, notre nouveau roi est un vrai messie capable de transformer la France en paradis. Jacques de Beaune, le maître des lieux, qui a servi trois souverains à la suite, est passé en souriant.

– Savez-vous pourquoi il se nomme François ? a-t-il demandé en posant ses mains puissantes sur leurs épaules.

Ils ont secoué la tête.

– En hommage à François de Paule, le saint moine italien qui s'était installé tout près d'ici et nous protégeait par ses prières. Il a béni la grossesse de la duchesse d'Angoulême. À l'époque, elle avait si peu de chances d'être la mère d'un roi ! Bien sûr, la première condition était qu'elle eût un garçon. Vous imaginez son bonheur, son fol espoir quand le bébé est né !

Les dames s'en sont mêlées en agitant leurs mains poisseuses de sucre, et ont évoqué la reine Claude, boiteuse et timide, mais déjà enceinte du beau François, son mari. Très vite, elles sont devenues intarissables : c'est elle qui est fille de roi ; c'est grâce à elle que François d'Angoulême peut régner sur la France. Et patati et patata... Moi, j'ai surtout retenu que la petite reine a tout juste quinze ans comme moi et qu'elle attend un enfant. Il paraît qu'elle est déjà ronde comme une tour.

Nous en étions au troisième plateau de dragée et confitures lorsque la nouvelle est arrivée tout droit de Paris : le roi François, sa mère, sa sœur, son épouse et toute la cour vont s'installer à Amboise d'ici à la fin du mois. Charlotte m'a regardée, les yeux brillants d'excitation. Je lui ai fait un petit geste de la main pour lui signifier qu'elle avait désormais de quoi écrire sa première page.

– J'attends qu'il soit là ! m'a-t-elle soufflé de loin.

Je n'ai pas insisté. Je me dis en y repensant que si le roi François fait une telle impression alors qu'il est encore au loin, quel effet va-t-il produire une fois installé ici ? Charlotte a peut-être raison. Il y aura mille choses à observer et à décrire. En fait, j'ai bien de la chance d'avoir quinze ans en cette année 1515.

11e jour d'avril

*U*n ciel de tempête nous attendait au réveil. Le vent de galerne qui souffle de l'ouest a remonté la Loire depuis l'océan. Ce coquin nous pose du sel sur les lèvres et nous oblige à tenir nos jupes. D'ici ce soir, il apportera la pluie. Mais la journée a bien commencé. Mon père a rejoint le roi à Paris et ma mère a décidé d'aller demain à Amboise louer une maison. Je l'entends encore soupirer :

– Il est fort regrettable que ton père n'y ait pas pensé. Il devrait se préoccuper davantage des intérêts familiaux.

En fait d'intérêts familiaux, il s'agit pour elle de loger le plus près possible du château et d'être invitée aux fêtes que le roi ne manquera pas de donner : cette stratégie ayant pour objet de donner à sa fille toutes les chances de faire une belle rencontre. Un gentilhomme de la bonne noblesse – parbleu ! – ferait un gendre parfait. Ma mère, je le sais, mettra tout en œuvre pour arriver à ses fins.

Je suis son dernier enfant. Une petite fille née après moi n'a pas vécu, et j'ai un frère, prénommé Antoine, de trois ans mon aîné. Mon père trouve qu'il a été trop gâté par notre nourrice et se désole de le voir si peu disposé à une vie raisonnable. Afin de le préparer à la carrière de notaire, il l'a envoyé étudier le droit à Orléans. Antoine aurait dû rentrer pour Pâques ; on ne l'a pas vu. Il a l'art de se faire attendre. J'ai aussi deux autres frères plus âgés, nés d'une première épouse de mon père. Ils tiennent de hautes positions au Parlement de Paris et pensent que la tête du royaume se situe là-bas, même si le roi n'y est pas. Cela crée d'interminables discussions aux repas de famille. Nous, les Tourangeaux, pensons au contraire que le centre de la France est chez nous. Cela fait un siècle que les souverains vivent sur les bords de la Loire. Vivent, gouvernent, festoient, aiment, meurent… C'est donc bien ici que bat le cœur du royaume.

Un peu plus tard, ce même jour

$\mathcal{J}$'ai pris quelques dispositions afin que l'absence de ma mère soit mise à profit. D'abord, faire porter un mot à Charlotte pour l'inviter à me rejoindre, puis trouver une occupation à Marguerite, ma nourrice, qui a pour mission de veiller sur moi. Je lui ai conseillé d'aller au jeu de paume applaudir les vainqueurs et de s'arrêter au retour chez Perret, qui fait la meilleure pâtisserie de la ville.

– Et toi, mon petit oiseau ? À quoi vas-tu occuper ton temps ? me répond-elle d'un ton narquois qui a tout l'air de dire : « Surtout, n'essaie pas de me prendre pour une idiote ! »

Je n'ai pas envie de lui mentir.

– Avec Charlotte, nous irons dîner chez un rôtisseur. À la suite de quoi, nous nous rendrons chez les drapiers et les marchands d'étoffes. Tu comprends, si le roi arrive, il nous faut des robes, plusieurs robes. Des soies légères, et puis des fards.

Elle me regarde, ahurie.

– Tu ne sais pas que ma mère veut me marier ? Je dois faire bonne figure !

J'ai quitté la pièce sans lui laisser le temps d'ajouter un mot. Elle allait me dire, j'en suis sûre, que je suis bien assez jolie comme ça et que cette promenade n'est pas une bonne idée. Pourtant, je ne crois pas qu'elle va nous suivre pour nous épier. Elle sait que je rentrerai avant la tombée de la nuit et que les rues de Tours en plein jour ne sont pas des coupe-gorge pour deux jeunes filles de bonne famille.

12e jour d'avril

Ah ah ! Le vent est tombé ; la pluie aussi, qui a lavé le ciel. Il va faire beau. Mariette ne s'en remet pas : le coq vient de chanter et je suis déjà debout.

13e jour d'avril, jour maigre, excellent pour le teint, pour le ventre et la légèreté de l'humeur

Merci mon Dieu, et vous aussi, saint Mathurin, qui inspirez les fous, les jongleurs et les bouffons ! Grâce à vous et à vos fantaisies, la journée d'hier a été pleine d'imprévus.

J'ai vu arriver Charlotte vêtue avec élégance comme à l'accoutumée et je l'ai aussitôt entraînée dans ma chambre pour lui proposer une autre tenue. Inutile de se promener en ville habillées en riches bourgeoises ; un bon jupon de drap fait tout autant l'affaire. Charlotte hésitait, je l'ai persuadée. Bref, nous voilà parties. Après avoir musardé le long des échoppes dans la Grand-Rue, nous sommes descendues vers la Loire par la porte Foire-le-Roi, où nous avons croisé Reinette, la chiffonnière, qui retenait sa charrette à deux bras. Je l'ai saluée d'un petit signe de tête. Elle fait la tournée des maisons et des ateliers pour recueillir les vieux vêtements qu'elle revend ensuite aux fripiers ou aux moulins à papier. L'autre jour, elle est passée chez nous, et Marguerite lui a cédé pour deux deniers une couverture rognée par les souris, dans laquelle elle avait glissé une paire de bottes usagées mais solides encore. Je me souviens du sourire de Reinette en découvrant le trésor caché. Elle les a gardées pour elle. Hier, elle les avait aux pieds.

En bavardant, bras dessus bras dessous, Charlotte et moi avons pris le pont jusqu'à l'île Saint-Jacques. Il faisait bon sur les berges et le fleuve ronronnait dans l'air tiède. Peu à peu, la promenade nous a creusé l'appétit. En remontant vers la ville, nous nous arrêtons Chez Janet, un rôtisseur qui sert des plats chauds. Dans la salle derrière la boutique, l'hôtesse installe le mieux possible « les petites demoiselles » que nous sommes. Malgré nos modestes vêtements, notre bonne mine n'échappe à personne. Mais dans ce quartier éloigné du centre, qui reconnaîtrait les filles de messire Briçonnet et de messire Hurault ? Profitons-en ! Parmi les effluves alléchants venus de la cheminée, nous flairons l'agneau grillé et les brochettes d'anguille. Il y a aussi du chapon cuit en croûte ! Heureusement que nos modestes jupons de laine ne craignent pas les odeurs ! Je demanderai à Mariette de faire disparaître ces relents de cuisine avant le retour de ma mère.

Chez Janet le rôtisseur, comme partout en ville, la clientèle parle – la bouche pleine car les écuelles sont bien remplies ! – de l'arrivée prochaine du roi. Janet se frotte les mains ; il a déjà retenu un apprenti supplémentaire, un deuxième si nécessaire. Les ateliers de soierie, les hôteliers et taverniers, tous les métiers vont en bénéficier.

– C'est pas à Amboise que tout ce beau monde va trouver les étals qu'il lui faut. Pour sûr qu'ils viendront jusque chez nous.

– Ou bien c'est nous qu'irons là-bas ! claironne une voix familière.

C'est Reinette la chiffonnière qui vient chercher son potage.

Janet l'invite à asseoir. Elle accepte, sans se soucier de la charrette qu'elle a laissée dehors.

– C'est mon jour de bonté ! déclare le rôtisseur en servant à travers la salle des rasades de vin de Bourgueil.

– Les demoiselles aussi ? fait-il en nous désignant du menton.

Charlotte et moi hochons vigoureusement la tête.

Nous voilà à siroter notre vin rouge tous ensemble. Reinette aussi, qui prend son temps et pose ses bottes au ras des braises pour les sécher. Janet la houspille un peu et la laisse faire. Il est dans son jour de bonté. Que cela se sache !

Il nous apporte sur un tranchoir de bois une brochette d'anguille et un morceau de chapon accompagnés d'une galette toute chaude. C'est délicieux et tellement plus plaisant que de dîner à la maison en compagnie de Marguerite ! Je lèche mes doigts avec application ; Charlotte a du gras de chapon sur le nez et ne cherche même pas à l'ôter. Nous rions. C'est exactement ce que nous voulions. Elle ne parle plus du roi, j'en suis ravie.

Mais voilà que des bruits montent de la rue, des exclamations, des cris. Un lourd attelage chargé d'un cuveau puant, bloqué dans la ruelle par la charrette de Reinette, veut passer coûte que coûte. Le charretier transporte de l'urine de cheval pour les tanneries du quai et crie que la livraison ne peut attendre. Comme si c'était vrai ! La pauvre Reinette, qui se précipite hors de la boutique, n'a pas le temps de pousser sa carriole. Le malotru force le passage, il agite son fouet, les chevaux piaffent, et patatras ! Le chariot bascule, le contenu du cuveau se répand dans la rue. Aussitôt, la puanteur nous prend à la gorge. Janet s'empresse de fermer la porte en tempêtant :

– Mon jour de bonté, dame oui ! Mais pas mon jour de chance ! Si on nettoie pas cette saleté, plus personne ne s'arrêtera chez moi !

Reinette a été éclaboussée par l'horrible chargement. Elle regarde, consternée, sa charrette souillée. Mais l'autre n'en a cure ; il a fouetté ses bêtes et poursuit sa route.

– Je le connais, fait Janet. Il passe ici deux fois par mois pour rejoindre le quai des Tanneurs. Il est toujours mal embouché, mais cette fois-ci, c'est un comble !

Personne n'ose plus approcher la pauvre Reinette.

– Tout ça est bon à jeter, dit-elle en retenant ses larmes. Jamais les fripiers me prendront des habits qui sentent la pisse. Et moi ! Moi aussi je suis bonne à jeter, tellement je pue.

Elle a l'air si désemparée que je suis toute remuée. Je me surprends à lui dire :

– Chez moi, il y a de l'eau chaude, une cuve pour le bain et même de l'eau de rose. Ça te tente ?

Elle me regarde, incrédule, puis ravie lorsqu'elle voit Charlotte confirmer de la tête et des yeux. Elle accepte. Avant de partir, j'achète chez Janet trois rissoles et je tends deux deniers à un gamin pour qu'il pousse la charrette jusqu'à la maison.

– C'est bien compris ? Tu dois rentrer dans la cour par la porte de derrière.

Heureusement que ma mère n'est pas là ! Avec un peu de chance, elle ne saura rien, si aucun voisin ne perd son temps à jaser sur cette petite aventure.

Après souper

*J'*ai été interrompue par Rogier, notre majordome, qui apportait de l'huile pour les lampes. Heureusement qu'il a frappé et attendu avant d'entrer, ce qui n'est pas toujours le cas ! J'ai eu le temps de ranger mon cahier. Bien m'en a pris, car Marguerite marchait sur ses talons. Son œil perçant a aussitôt repéré la plume et l'encrier.

– Tu écrivais ?

Je réponds par un simple « oui ». Elle attend un peu, je n'ajoute rien. D'un air indécis, elle se balance d'un pied sur l'autre. Sa langue doit lui brûler la bouche tant elle a envie de me demander à qui je dédie les mots posés sur le papier ! L'idée qu'on puisse écrire pour soi-même, tranquillement au fond de sa chambre, ne l'effleure pas. Elle cherche des yeux la lettre, en déduit que je l'ai cachée. Elle a raison. Elle toussote et finit par quitter la pièce en houspillant Rogier pour masquer son dépit. Marguerite m'amuse beaucoup. À présent que sa curiosité est aiguisée, elle reviendra visiter ma chambre lorsque je n'y serai pas. Je songerai tout à l'heure à trouver une cachette pour mon cahier. À présent, je reprends mon récit où je l'avais quitté :

Il est vrai que la pauvre Reinette ne sentait pas bon ! En arrivant, nous sommes allées directement à la baignerie qui est située dans la cour à côté de la buanderie. Ma mère l'a fait installer lorsque mes parents ont acheté cette maison. Elle ne voulait plus fréquenter les étuves de la ville qui ont mauvaise réputation à cause des maladies qu'on attrape dans l'eau tiède et des baigneurs qui ne se gênent pas pour vous pincer la cuisse ou les tétons.

Dans la baignerie, j'ai fait allumer du feu et tapissé la cuve d'un grand drap propre. Mariette a apporté de la cuisine plusieurs seaux d'eau bouillante que nous avons refroidie avec l'eau tirée du puits. Reinette s'est glissée dans le bain en soupirant d'aise. Nous lui avons lavé les cheveux avec un savon parfumé aux plantes, et frictionné le corps d'huiles précieuses.

À la voir si mignardelette, ses bras fins, son torse menu, je me demandais où elle trouvait la force de tirer sa charrette. Je suis plus grande et vigoureuse qu'elle et je ne fais rien de mes bras ! Après le bain, nous avons mangé nos rissoles devant le feu. Reinette nous a parlé longuement. Ses parents sont métayers ; ils élèvent des porcs et des moutons dans la gâtine. Là-bas, la terre n'est pas aussi bonne qu'à Cormes et les bêtes vont paître dans les sous-bois. Reinette gardait un troupeau de trente pourceaux appartenant aux villageois. Entre la Saint-Michel et la Sainte-Catherine, elle devait les engraisser, les gaver de glands qu'elle faisait tomber en secouant les branches des chênes. Chaque soir, elle comptait son troupeau. Un jour, une de ses bêtes a disparu. Elle l'a cherchée partout. Un maraudeur avait dû passer par là. Quand elle est rentrée au village à la nuit tombée, ses parents l'ont battue. Les autres aussi. Alors, elle s'est enfuie. Elle n'y retournera jamais plus. Elle loge à présent au faubourg Saint-Étienne, chez les ouvriers de la soierie qui lui louent un lit et fournissent le potage du soir. Tout en l'écoutant, mon regard a croisé plusieurs fois celui de Charlotte et nous avons échangé la même question silencieuse : comment l'aider ?

Pour commencer, il fallait l'habiller de propre. Elle a hérité d'une chemise, d'un jupon et d'une camisole trop serrée pour moi. Nous avons fait un paquet de ses vêtements qu'elle ira nettoyer au lavoir. Puis nous avons inspecté la charrette, moins abîmée et salie qu'il nous avait paru d'abord. Une fois enlevées les quelques fripes tachées, nous avons entrepris de ranger le reste. Charlotte a pris son air dégoûté, moi j'étais très intéressée ; c'était la première fois que je fouillais dans un tel fatras. Et j'ai bien fait, car j'ai mis la main sur une merveille. Tout au fond, contre le bord, j'ai entrevu un beau tissu rayé de pourpre et de vert. J'ai tiré dessus jusqu'à ce que tout vienne à moi. Grand Dieu ! C'était une robe, qui aurait mérité d'habiller une duchesse ! Sur le corsage, s'entrelaçait un décor de boutons de nacre et d'une matière noire brillante que je ne connais pas. Une extravagante ceinture garnie de pendeloques souli-gnait la taille.

Enthousiasmée par ma trouvaille, je me tourne vers mes compagnes. Charlotte continuait de faire la fine bouche. Pourtant, elle ne réussira pas à me faire croire qu'elle ne porte que des habits neufs ! Même les princesses en grandissant passent leurs robes à leurs petites sœurs, cousines et demoiselles d'honneur ! Reinette s'est approchée, a touché la robe et murmuré avec effarement :

– Je ne comprends pas !

– Où l'as-tu eue ?

– Mystère ! Je ne vois pas à qui je l'aurais achetée. Et qui donc, dans les maisons où je passe, m'aurait vendu cette beauté à la place de vieilles fripes ?

Admirative, elle palpait le tissu, le lissait, effleurait du doigt la nacre luisante des boutons.

– Ça vaut cher, n'est-ce pas ?

J'ai hoché la tête. Ses yeux brillaient.

– Tu crois que le fripier m'en donnera combien ?

J'ai pris ma respiration et, le cœur battant, j'ai dit d'une traite :

– Il ne te donnera rien du tout. C'est moi qui l'achète.

Du coup, Charlotte s'est réveillée. Trop tard ! J'avais calé la robe sous mon bras et j'ai fixé un prix assez haut.

– Cinq livres.

Reinette a sursauté ; Charlotte aussi.

– Je te les donne dans deux ou trois jours, ai-je dit en regardant Reinette droit dans les yeux afin qu'elle soit sûre de ma parole.

Je voyais qu'elle calculait dans sa tête : une livre, c'est-à-dire vingt sous, soit quatre journées de travail au moins. Donc cinq livres : à peu près un mois de salaire ! C'était inespéré. Elle joignait les mains tant elle était émue. Moi, je lui souriais tout en me demandant où j'allais trouver l'argent.

Voilà, maintenant qu'elle est partie, le cœur en fête, et que Charlotte a regagné son logis, je suis là avec cette belle robe sur les bras. Et je ne regrette pas du tout ! Ma mère rentrera bientôt. Que dois-je faire ? Lui montrer la merveille ? Me taire et la cacher ? D'ici là, dames Sagesse et Prudence m'auront certainement porté conseil.

14e jour d'avril

*C'*est dame Curiosité qui est entrée la première ! J'ai étalé la robe sur mon lit et je l'ai regardée sous toutes les coutures : la qualité de l'étoffe, l'échancrure carrée du corsage qu'il faudra border d'une très fine chemise, les boutons et les perles du décor, le laçage à œillets qui vous oblige à rentrer le ventre et vous fait une taille de guêpe. Je me suis retenue de l'essayer car il faudrait l'aide de Mariette pour serrer correctement les lacets dans le dos. Pour le moment, personne à la maison ne connaît l'existence de cette merveille. Je la garde secrète. D'autant que la robe elle-même possède son mystère ! Parmi les pendeloques, grelots, et médailles accrochés à la ceinture, j'ai découvert un miroir, à peine grand comme la moitié de ma main, mais d'une invraisemblable transparence. Jamais je n'avais vu mon nez et mes yeux avec autant de netteté. J'ai passé du temps à regarder tout ce que je ne connaissais pas bien de moi : l'oreille, la bouche, la forme et la couleur des lèvres, la courbe des sourcils, la ligne du menton. J'avais un peu l'impression d'être découpée en morceaux et j'enrageais de ne pas avoir une image entière, dans sa pureté extraordinaire. À ma connaissance, personne autour de moi n'est en possession d'un tel miroir et n'importe quelle dame serait prête à payer une fortune pour surveiller sa beauté d'aussi près. Grâce à ce verre merveilleux, le moindre bouton vous saute aux yeux ; aucune imperfection ne vous échappe. Quelle découverte ! Je la garde pour moi et dans l'immédiat, même Charlotte n'en saura rien.

16e jour d'avril

Ma mère n'est guère satisfaite de la maison qu'elle a louée et qu'elle trouve indigne de nous. Elle s'est mis en tête d'en faire construire une dans les plus brefs délais. Mon père, venu la rejoindre à Amboise et rentré à Tours avec elle, lui répète que la cour séjournera aussi à Blois et à Romorantin, à Fontainebleau et à Saint-Germain.

– Voudriez-vous, ma chère, que nous ayons des logis partout ? Je vous laisse le soin d'en assurer la construction ! Diriger un chantier n'est pas une petite affaire. Demandez donc à dame Lesbahy le souci que lui donne son château d'Azay !

Ma mère fait la moue et ne répond pas. Ici à Tours, tous les habitants connaissent la grande entreprise menée sur les rives de l'Indre par l'épouse de notre maire. Certains l'admirent, d'autres l'envient. Je vois bien que ma mère balance entre les deux. Malgré la fortune de mon père, nous ne sommes pas assez riches pour posséder une telle demeure. D'autre part, ma mère saurait-elle agir seule, face au maître d'œuvre, aux ouvriers, comme le fait dame Lesbahy, ou encore notre cousine Catherine Briçonnet qui transforme en château son moulin de Chenonceau ?

Elle a préféré changer de conversation et revenir à un sujet plus plaisant : l'installation de la cour à Amboise. Les premiers chariots chargés de tapisseries et de mobilier sont déjà sur place. Il en arrive d'autres chaque jour. Sans compter les boisseaux de victuailles en tout genre. Il paraît que la ville bourdonne comme une ruche. Nous devons nous presser, nous aussi, et préparer notre bagage dès demain.

Ce même jour, tard le soir

J'entends sonner vigiles au clocher de Saint-Martin, et des voix dures s'élever du petit cabinet à côté de la salle. Mes parents sont en train de se disputer. Ce n'est pas la première fois.

Dans ma famille, depuis des générations, personne n'aime personne. Jusqu'à quel âge lointain doit-on remonter pour trouver un jeune homme vraiment désireux d'épouser sa fiancée, vraiment attiré par elle ? Mon arrière-grand-père, qui vendait du sel, a-t-il choisi son épouse pour l'émotion qu'il ressentait ou parce que son père à elle vendait du chanvre ? Et que les sacs de chanvre sont bien utiles pour transporter le sel...

18ᵉ jour d'avril, le matin

J'écris dans mon lit, installée au chaud derrière mes rideaux. J'ai calé mon écritoire sur mes genoux. Quelqu'un, d'ici peu, finira bien par ouvrir. Sans mon cahier et le matériel d'écriture qui m'encombre, je pourrai feindre l'endormie. La paupière détendue et le souffle régulier... Quand j'étais petite, je jouais très bien à « l'ange qui dort » afin de tromper Marguerite qui attendait mon réveil pour me conduire à la leçon de lecture. À présent, c'est pour ruminer mes humeurs que je me cache au lit. Et l'humeur de ce matin est plutôt bilieuse car je ne sais toujours pas comment trouver...

Par les cornes du diable, je viens de renverser l'encrier ! Mariette, au secours ! Ah, je vois noir sur blanc que ce jour s'annonce chargé de calamités.

Avant dîner

*L*a lessive de Pâques étant à peine commencée, Mariette et moi avons caché le drap au grenier sous la pile de linge sale, après avoir frotté la tache avec du savon à la cendre de pommier. Elle me dit que rien ne paraîtra. J'en doute fort, mais nous allons quitter Tours et le grand nettoyage se fera ici sans nous.

Le soir

L' air calamiteux que je respirais ce matin s'est dissipé et mes ennuis se sont envolés avec lui. Je tiens sous ma main une bourse en velours de haut poil sur lequel j'ai brodé le prénom de Reinette. À l'intérieur, tinte doucement de la monnaie d'argent pour la somme de cinq livres. J'ai soigneusement évité d'y mettre des écus d'or qui auraient éveillé la méfiance des boutiquiers envers une chiffonnière. Reinette touchera son dû demain, et je suis bien soulagée. Après midi, alors que je ne savais toujours pas comment résoudre cette affaire, dame Sagesse et dame Prudence m'ont suggéré de prendre l'air en compagnie de Marguerite. Rue de la Rôtisserie, nous avons croisé Françoise Portia, l'épouse de maître Portia qui commande le fil de soie pour les ateliers de la ville.

Elle prend à peine le temps de s'arrêter et nous dit, tout essoufflée :

– Sur le quai, ils font courir des chiens.

Je vois Marguerite rosir d'excitation. Elle a une faiblesse pour les jeux, je le sais. Au jeu de paume, elle parie et elle gagne souvent. Je la sens tentée. D'autant que Mme Portia insiste en faisant roucouler son joli accent italien :

– Il y a de grands lévriers de Bretagne, très rapides à ce qu'on m'a raconté.

Nous voilà parties toutes les trois. De nombreux badauds sont déjà rassemblés sur le quai et les paris sont ouverts. En jouant des coudes pour s'approcher, Marguerite rencontre l'une de ses connaissances qui lui glisse quelques conseils à l'oreille. Elle se retourne vers moi et me chuchote :

– Viens vite, il faut parier sur ce grand au poil jaune, là-bas. Il n'a pas bonne mine mais tout à l'heure il va les dépasser tous !

Parier. Gagner de l'argent peut-être. Sûrement même ! C'est bien ce que je cherchais. J'avais cinq sous dans mon aumônière et j'ai misé sur le chien jaune, qui a couru plus vite qu'un loup-cervier. J'ai récolté trois livres ! Plus de dix fois la mise ! Même s'il a fallu nous quereller pour obtenir notre gain, j'ai l'impression que cette belle somme m'est tombée du ciel et j'ai aussitôt remercié les saints du paradis.

En revanche, les deux livres manquantes, c'est à Mme Portia que je les dois. Elle me les a avancées sans hésiter lorsque j'ai trouvé le courage de les lui demander, prétextant l'absence de ma mère qui m'empêchait de régler un achat.

– J'espère au moins que c'est pour t'offrir des parures et briller bientôt à Amboise au milieu de la belle jeunesse !

Elle ne croyait pas si bien dire ! Mais j'ai tenu mon secret, bredouillant quelques mots vagues. Je l'ai embrassée et j'ai promis de payer ma dette avant la Pentecôte.

Marguerite, occupée de son côté à remercier son habile conseiller, ne s'est aperçue de rien.

J'ai passé la fin de la journée à broder la bourse pour Reinette, sans réclamer l'aide de personne – Dieu merci ! – car broderie et tapisserie sont les premiers talents de toute jeune fille en âge de se marier.

20e jour d'avril

*N*ous empaquetons depuis deux jours. Mariette, que j'ai mise dans la confidence, a plié la robe avec grand soin. J'ai préféré ranger le petit miroir à part dans le coffret qui ne me quitte pas. Les chariots loués par mon père partiront avant dimanche. Ma mère et Marguerite voyageront en litière. Moi, j'ai obtenu l'autorisation d'aller à cheval, avec mon père et Rogier, et la perspective de chevaucher le long de la Loire me ravit au plus haut point.

J'ai remis la bourse à Reinette, qui est passée dans la rue vers midi. Elle l'a vite cachée dans sa chemise puis elle a tenu ma main dans la sienne un petit moment.

– Tu as essayé la robe ? souffle-t-elle.

J'ai secoué la tête.

– Nous partons pour Amboise ! Elle est déjà serrée dans mes coffres.

– Alors je te retrouverai là-bas. Et elle aussi ! a-t-elle ajouté en poussant sur ses bras pour démarrer la charrette.

Je l'ai regardée s'éloigner en criant sa ritournelle : « Fripes et chiffons, tout est beau, tout est bon ! Venez, donnez, c'est bien payé ! »

Quand elle a tourné à l'angle de la rue, il m'a semblé qu'une silhouette se détachait du mur pour lui emboîter le pas. Un de ses galants sans doute. Il est vrai qu'elle a un gentil minois, notre Reinette.

30

23ᵉ jour d'avril

Ce matin au réveil, l'affreuse nouvelle que j'avais oubliée pendant mon sommeil est revenue avec force. Je revois l'intendant de Cormes, blême de fatigue, entrer hier soir dans la salle et réclamer d'urgence un entretien avec mon père.

– Dieu me garde, messire, d'avoir jamais à vous renouveler pareil message ! marmonne-t-il tandis qu'ils s'enferment tous deux dans le cabinet d'étude.

Ma mère, Marguerite et moi restons interdites, de plus en plus inquiètes à mesure que le temps passe. Nous apprenons un peu plus tard que mon frère Antoine, qui n'a pas daigné se rendre à Tours pour Pâques, a préféré passer quelques jours à Cormes où il a commis de sérieuses bêtises.

– De la plus haute gravité, insiste notre intendant, puisqu'il y a coups, injures et blessures !

Si ma mère fait preuve de sang-froid, Marguerite joint les mains en gémissant. Mon père intervient :

– Ne vous méprenez pas, Antoine a involontairement causé un accident après s'être enivré avec ses amis.

Cette fois, ma mère sursaute. La violence à la rigueur, l'ivresse non ! Elle se tourne vers l'intendant, qui acquiesce :

– Messire Antoine a mis en perce l'un de vos meilleurs fûts. Lui et ses compagnons ont dû boire immodérément une partie de la nuit. J'ai été alerté trop tard. Ils avaient mis le feu à la grange, par mégarde sans doute, mais tout de même ! Une chaîne de villageois s'est aussitôt organisée pour apporter de l'eau, tandis que votre fils et ses ruffians rigolaient aux étoiles. Un métayer a été gravement brûlé par une poutre qui s'est effondrée. Ces jeunes voyous ont continué à rire, à lancer des injures. Vous pensez que cela a jeté de l'huile sur le feu, c'est le cas de le dire ! Une bagarre s'est ensuivie, qui aurait pu encore aggraver les choses. Enfin, nous avons empêché le pire.

– Où est mon fils ? demande ma mère, les lèvres pincées.

– Dans la grande chambre, au manoir, affalé sur le lit. Je... J'ai pris la liberté de verrouiller la porte.

C'est au tour de mon père de sursauter, puis il se ressaisit.

– Vous avez bien fait.

Notre intendant poursuit :

– Les villageois disent que messire Antoine était parmi les plus turbulents. La colère gronde ; le curé en particulier demande à vous voir. Vous conviendrez que votre fils et sa petite bande ont déjà fait beaucoup de mal. L'an dernier, souvenez-vous, lorsqu'ils s'étaient mêlés à un jeu de soule au village, la partie s'était achevée en bataille entre les deux équipes. Et qui exhortait les combattants à cogner ? Votre coquin de fils, parbleu !

Mon père ne désirait pas en entendre davantage. Il a fait seller son cheval et tous deux ont pris la route de Cormes, où ils ont dû arriver à la nuit tombée.

J'imagine Antoine ce matin écrasé par la nausée de ce qu'il a bu et de ce qu'il a fait, confronté à la colère de mon père et à celle des villageois. Ceux-ci feront appel à la justice royale. Je ne sais quel sera le dénouement. D'une manière ou d'une autre, Antoine devra payer pour ses méfaits et ne plus reparaître à Cormes. Plaise à Dieu que pareille mésaventure ne m'arrive jamais ! Si j'étais privée de cette maison, il me semble que je ne pourrais plus respirer.

Tard le soir

Marguerite pleure en silence tout en comptant les pièces de vaisselle alignées dans les coffres. Antoine a toujours été son mignon adoré ; elle ne savait rien lui refuser ! Je n'ai pas le courage de la consoler. Avec Mariette, je continue de préparer mes affaires. L'ambiance ici est toute chavirée et ma mère n'ose plus récriminer sur rien. Ni la maison d'Amboise, quelle qu'elle soit, ni l'arrivée du roi ne constituent la priorité.

25ᵉ jour d'avril, à l'aube

Mon père a pris d'importantes décisions et demande à ma mère de le rejoindre à Cormes. J'ai insisté pour l'accompagner. Dans d'autres circonstances, ce serait un tel plaisir de dormir là-bas ! Je n'ai pas le temps de prévenir Charlotte. De Cormes, nous nous rendrons directement à Amboise, où Marguerite et Mariette auront déballé les chariots et organisé la maison. Je me passerai de chambrière pendant quelques jours. Au village, il y aura bien une jeune fille disposée à m'aider.

Cormes, 26ᵉ jour d'avril

Pendant la messe dans la jolie chapelle, le curé a demandé à Dieu d'éclairer l'esprit de mon frère Antoine. Sur le parvis après l'office, nous avons salué les villageois du mieux que nous pouvions, afin d'apaiser les rancœurs, et ma mère a fait savoir qu'elle irait visiter le blessé dans l'après-midi. Mon frère n'a pas reparu en public. Le curé viendra le confesser tout à l'heure avant son départ. Car Antoine s'en va loin et pour longtemps. Mon père en a décidé ainsi. À notre arrivée hier soir, il nous a réunis dans la grande salle pour une entrevue solennelle. Tout en l'écoutant, j'observais Antoine, pâle et silencieux, le regard fixé sur les flammes de la cheminée. Mon père s'est d'abord adressé à ma mère :

— Je ne crois pas, hélas, que notre fils se destine jamais au métier de notaire, de juriste ou de conseiller au Parlement. Le roi François n'aura que faire d'un écervelé plus apte à donner des coups qu'à gérer des finances ou à créer des lois. En revanche, notre souverain a besoin de jeunes gens audacieux. Le royaume prépare la guerre. Des armées s'apprêtent à franchir les monts. Tous les volontaires sont les bienvenus.

Il se tourne vers Antoine.

– Puisque tu prends plaisir à te battre, que ce soit au moins pour le roi ! C'est sur le champ de bataille que tu pourras éprouver ta valeur, te faire remarquer pour ta bravoure, récolter les honneurs et les bénéfices.

Immobile, mon frère ne manifeste rien, ni refus ni approbation.

– J'ai rendu quelque service au vicomte de Lautrec, qui est à présent maréchal de France, poursuit mon père. M. de Lautrec descend prochainement vers Lyon avec des compagnies d'archers et d'arquebusiers. Sa renommée n'est plus à faire...

– Il s'est couvert de gloire à la bataille de Ravenne, il y a trois ans.

C'est Antoine qui intervient. Mon père opine de la tête. Entre eux deux, la conversation glisse sur les guerres d'Italie, qui ne m'intéresse guère. L'idée qu'Antoine va bientôt voir Milan, Venise, Vérone... me pince le cœur. Serais-je touchée par l'aiguillon de la jalousie ? Quelle terrible punition, en effet, que ce voyage en Italie !

Malgré tout, j'ai embrassé Antoine en quittant la salle. Il partira demain pour rejoindre l'armée. Mon père a déjà préparé une lettre de recommandation adressée à M. le vicomte de Lautrec et des missives pour les banquiers de Lyon susceptibles d'aider son fils.

Avant de m'endormir

Depuis que je possède le petit miroir, j'ausculte chaque soir mon visage et je surveille un bouton qui me pousse sur le front. Mon fard au blanc de céruse, destiné à masquer ce bourgeon de printemps, m'attend à Amboise. Je m'en passerai donc. Ici, nul besoin d'être apprêtée puisque personne ne dispose de ces artifices ! À Cormes, tout est plus simple qu'ailleurs. Il fait frais dans la chambre. Je m'enfonce dans le matelas de plume et j'écoute le silence de velours, plus épais que celui de la ville.

28e jour d'avril

Antoine s'est mis en route avant mon réveil. Mon père va regagner Amboise sans tarder. Ma mère ne laisse rien paraître et je n'ai pas de mal à en faire autant. Je dois avouer que le départ de mon frère ne me cause aucun tracas. Antoine ne m'a jamais manifesté d'attention. En réalité, nous ne partageons rien d'autre que le fait d'avoir les mêmes parents.

Par chance, Marguerite n'est pas là à gémir sur cette douloureuse séparation. La journée s'annonce donc plutôt douce. Le métayer blessé pendant l'incendie ne perdra pas l'usage de sa jambe. Un médecin que ma mère a envoyé chercher vient de le confirmer. Sur la place du village, les visages se détendent, les femmes au lavoir ont repris leurs chansons. J'ai même obtenu un beau sourire de la boulangère lorsque je suis entrée dans le fournil.

– J'aurais pu envoyer mon mitron vous livrer au manoir ! s'est-elle excusée en posant les miches dorées dans mon panier.

J'ai répondu que le manoir était à deux pas, et la promenade si jolie. Mais le mitron, lui, y aurait gagné une piécette ! Quand les maîtres sont là, chacun essaie de grappiller quelque petit avantage. C'est bien la même pensée qui anime les marchands de Tours voyant arriver la cour royale !

⚜

À Amboise, le 27ᵉ jour de mai, dimanche de Pentecôte

*P*ar tous les culs verts ! Les culs de nains, les mentons baveux !

Ma mère serait horrifiée de me voir jurer de la sorte, mais je ne résiste pas à la tentation d'utiliser ces grossièretés pour exprimer ma surprise. Je viens de retrouver mon cahier que j'avais égaré depuis notre départ de Cormes ! Quel délice de faire glisser à nouveau la plume sur le papier ! Ce grand bonheur ne m'empêche pas de m'interroger sur sa disparition car je l'ai vraiment cherché partout, du cellier à la soupente et de la cuisine

37

à l'écurie. Il m'attendait, posé sous le double fond d'un coffre, dans le cabinet surchargé de vêtements, et je n'ai aucun souvenir de l'avoir rangé là. C'est tout ce que je peux affirmer.

Qu'importe après tout, puisque j'écris de nouveau et que cela m'enchante.

D'autant qu'il y a beaucoup à dire ! Ma tête ressemble à une volière où pépient des milliers d'oiseaux. Un peu de silence, s'il vous plaît, car voici la première grande nouvelle : j'ai rencontré le roi. Oui, notre souverain en chair et en os ! Un très grand homme, le roi François, qui dépasse d'une bonne tête la plupart de ses sujets. Pensez donc qu'il mesure près de six pieds ! Ajoutez à cela des épaules magnifiques que lui envieraient tous les joueurs de paume, et voilà brossé le portrait du beau colosse qui règne sur la France. Vêtu d'une éclatante tenue de chasse, il se tenait debout dans l'église Notre-Dame-en-Grève où il assistait à l'office, et l'on voyait bien que les esprits dans l'assemblée s'envolaient vers lui plutôt que de s'incliner devant Dieu. À la sortie de la messe, les habitants massés sur le parvis l'ont acclamé. Il s'est adressé à tous avec courtoisie, nous a dit quel plaisir il avait d'être ici à Amboise, dans son château préféré, et que, tout roi qu'il était, il ne changerait rien à ses habitudes envers la population.

– Comme par le passé, vous pourrez venir à moi comme je viendrai à vous, avec confiance et simplicité, a-t-il déclaré avant d'enfourcher son cheval.

Son regard effleurait l'assistance et s'arrêtait un instant sur les jeunes filles pour les saluer en secret. En le voyant s'éloigner, accompagné de sa petite cour froufroutante, nous avions, Charlotte et moi, les jambes un peu molles. Eh oui, Charlotte est ici à Amboise ! C'est la deuxième grande nouvelle. Rien d'étonnant qu'elle n'ait pas résisté à l'attrait de la cour ! Elle loge chez l'une de ses tantes, qui a ouvert sa maison aux Tourangeaux cherchant à se rapprocher du roi. Elle me dit que l'ambiance du lieu ressemble à celle d'une auberge, avec d'incessantes allées et venues, des conversations tardives, des échanges d'opinions. Certains apportent des livres, d'autres parlent de l'Italie, des palais roses et des statues nues dans les jardins. Quelle chance elle a d'être mêlée à tout cela ! Pourquoi suis-je condamnée à être éternellement coincée entre Marguerite et ma mère ?

Je m'emporte, une fois de plus ! J'oublie que Charlotte n'a plus de mère, morte à sa naissance, et que je suis bien heureuse d'avoir encore la mienne.

L'étroite maison que nous louons est juste assez grande pour accueillir notre famille. Une cuisine et une salle au rez-de-chaussée, deux chambres à l'étage, puis la soupente où Mariette dort seule, Marguerite ayant préféré l'alcôve de la cuisine. Ce logis a l'avantage d'être situé non loin de la porte de l'Amasse, qui mène au pied du château. Pour escalader la colline escarpée et regagner sa demeure sur la hauteur, le roi emprunte avec son escorte un prodigieux chemin creusé à l'intérieur d'une tour, comme un escalier. Lorsqu'ils montent au trot de leurs chevaux sous les voûtes nervurées, on entend depuis la ville résonner la cavalcade. Je me plais à imaginer le spectacle lorsqu'ils débouchent en haut. Toutes ces salles décorées, ces galeries aux dentelles de pierre, ce jardin italien surplombant la Loire que je ne connais pas encore...

Charlotte se moque gentiment :

– Tu vois que tu es pincée, comme moi ! me répète-t-elle. Je te l'avais dit. Personne ne lui résiste. Notre roi a vingt ans et le royaume à ses genoux. Dieu, quel destin !

Charlotte m'agace lorsqu'elle se prend à imiter les astrologues qui prédisent l'avenir. Cela dit, il est vrai que son exaltation me gagne. Combien de temps nous faudra-t-il attendre avant d'être reçues au château ? Puisque le roi nous propose de venir à lui avec simplicité, quand oserons-nous monter jusqu'à lui ?

28ᵉ jour de mai

La cloche des minimes sonnait vigiles lorsque je me suis endormie. J'ai donc veillé fort tard, et ma plume s'est laissé envoûter par la nuit. Les mots que j'ai écrits hier me paraissent bien excessifs à la lumière du matin. En réalité, le roi ne me fait pas tant d'effet. Et je ne chercherai aucunement à lui plaire. De toute manière, comment rivaliser avec les beautés dont il s'entoure ?

La plus éblouissante, c'est sa sœur Marguerite, l'épouse du duc d'Alençon. Elle lui ressemble, avec un nez moins fort, et une peau blanche comme le lait sur la gorge et les épaules. Rieuse, gracieuse, très lettrée de surcroît, elle me paraît inaccessible. Elle sait lire le grec et parle italien, m'explique Charlotte qui a soin de répéter tout ce qu'elle entend chez sa tante. De quoi ai-je l'air, de mon côté, avec mon maigre savoir et mes cheveux qui refusent de rester sous le bonnet ? Parmi les potins qui circulent en ville, on entend que le roi aurait un penchant pour les brunes. Voilà qui comblera les espoirs de Charlotte et me laissera en paix. J'offrirai mon teint de rose et mes yeux clairs à un autre, moins prestigieux. Et je prie Dieu qu'il ne soit ni notaire ni marchand de sel.

29ᵉ jour de mai

Ma mère se plaint de l'absence de mon père, retenu depuis plusieurs semaines par le financement de l'armée. Il accompagne dans ses démarches son cousin et ami Thomas Bohier, receveur des finances en Normandie. Tous deux descendront jusqu'à Lyon pour s'accorder avec les banquiers chargés des transactions vers l'Italie. Mon père en profitera pour prendre des nouvelles d'Antoine et s'assurer qu'il ne manque de rien. C'est sûrement cela qui provoque l'aigreur de ma mère : elle sait que mon père aura la chance de le retrouver là-bas, et pas elle ! Marguerite, qui soupire sans cesse après son mignon adoré, ne peut guère l'aider. Moi, je me contente d'éviter leurs jérémiades en me réfugiant dans ma chambre. Ma mère cherche à me retenir en parlant de jupons, de rubans et de taffetas de soie pour me vêtir de neuf. Je n'ai pas encore réussi à lui avouer que je m'étais procuré une tenue magnifique et que nous devrions procéder à une séance d'essayage. Il est grand temps que je sache si, oui ou non, cette robe est digne d'être portée à un bal de la cour.

31e jour de mai, fête de la Visitation

Comme j'ai eu raison d'insister ce matin pour aller écouter l'office dans la jolie chapelle Saint-Jean, située de l'autre côté de l'eau ! Ayant fait le chemin à pied jusqu'au bout de l'île, nous sommes arrivées en retard. C'est donc en toute hâte que nous rejoignons l'assistance, où je heurte par mégarde le dos d'une dame. La personne se retourne, le sourcil déjà froncé, et se radoucit aussitôt pour s'exclamer à voix basse :

– Anne ! Ma toute belle ! Tu es ici, toi aussi ? Avec ta famille ? Bonté divine, la France entière court vers Amboise ! Comme c'est plaisant !

C'était Françoise Portia ! Elle avait beau chuchoter, son adorable accent italien la trahissait à chaque mot. J'étais enchantée de la voir. Au retour, elle nous a proposé de monter dans sa voiture, ce qui nous a donné le temps de bavarder. Je ne savais comment aborder la dette de deux livres, que j'ai toujours envers elle, sans m'attirer les foudres de ma mère.

Je commence donc à bredouiller :

— Je serais heureuse de vous rendre visite, je n'oublie pas que...

— Bien sûr, ma chère enfant ! Je suis installée dans la maison de l'architecte Fra Giocondo, avec quelques amis italiens venus saluer le roi. Viens nous voir avec ta parure. Que nous puissions t'admirer !

Devant l'exclamation étonnée de ma mère, elle me jette un discret clin d'œil et reprend :

— Oui, il y a quelque temps, à Tours, j'ai entraîné votre fille à une course de chiens où nous avons habilement parié. Elle a gagné une belle parure qu'elle ne vous a pas encore montrée, la coquette ! Vous allez voir comme elle lui va bien !

Merveilleuse Françoise Portia qui arrange cette fable avec l'aisance d'une menteuse experte ! J'ai acquiescé, la gorge un peu serrée, me demandant comme j'allais retomber sur mes pieds. Marguerite roulait des yeux effarés ; je lui ai fait signe de tenir sa langue coûte que coûte. Bref, j'étais dans tous mes états lorsque nous sommes descendues de voiture devant la maison. Il ne fallait pas en rester là : puisque Mme Portia s'est volontiers impliquée dans l'affaire, autant qu'elle me soutienne jusqu'au bout. J'ai donc proposé une séance d'essayage en sa présence, quand il lui plaira. Nous avons retenu ensemble la date de la Fête-Dieu et, malgré nos objections, elle a insisté pour que cela se passe chez elle.

Ensuite, j'ai affronté les inévitables questions de ma mère et réussi à lui faire promettre de ne rien chercher à voir avant le jour dit. Advienne que pourra ! Si la robe ne me va pas, il sera toujours temps de la réajuster. Sainte Anne et sainte Lucie, faites que je n'aie pas l'air d'une bécasse dans ce vêtement tombé du ciel, même s'il a d'abord atterri dans un tas de chiffons, il faut bien le reconnaître.

S'il s'agit vraiment d'un cadeau venu d'en haut, alors qu'il le soit totalement et me rende plus belle que je ne le suis !

Le lendemain

*J*e suis allée conter toute l'histoire à Charlotte. Elle m'a écoutée en silence puis a souri en prenant un air conspirateur :

– Viens, sortons. Moi aussi, j'ai un secret pour toi.

Elle m'entraîne par les rues jusqu'à la cour de l'hôtel-Dieu où les lavandières battent le linge en cadence.

– Regarde bien là-bas celle qui a noué son tablier sur ses hanches et se redresse pour se frotter le dos. Tu la reconnais ?

J'hésite, la main en visière sur les yeux. À ce moment-là, je vois la jeune fille se lever et m'appeler par mon nom. C'est Reinette !

– Tu savais qu'elle était ici ?

Charlotte hoche la tête.

– Je l'ai croisée chez ma tante. Les lavandières de l'hôtel-Dieu font la lessive pour les hôtes des maisons alentour.

Reinette s'est approchée. Je l'ai serrée dans mes bras. Elle avait l'air exténuée.

– C'est plus dur que de pousser la charrette ! soupire-t-elle en levant les bras pour s'étirer.

– Pourquoi ne l'as-tu pas gardée ? Ici, tu aurais bien gagné avec tes chiffons ! Tu imagines le trafic de vêtements entre la cour et la ville ? Les fripiers ne sont sûrement pas à plaindre.

– On me l'a volée, répond-elle sobrement.

– Comment cela ?

Nous nous asseyons sur un banc et je l'assaille de questions.

– Ça s'est passé le jour où tu m'as donné l'argent. Tu te souviens ? Lorsque tu m'as quittée, un homme m'a suivie.

J'ai sursauté. Je me souvenais en effet d'une silhouette sortant de l'ombre.

– J'avançais tranquillement avec ma charrette,

poursuit Reinette. Il marchait derrière moi, mine de rien. Vers la place de Châteauneuf, il me rattrape et me raconte toute sorte d'histoires : que j'allais attraper des puces et pourquoi pas la peste à cause des miasmes qui sortent des vieilles frusques !

– Et alors ?

– J'ai répondu que garder les cochons, c'était pas bien propre non plus. Il a pas eu l'air de comprendre ! Bref, nous causons un peu et il m'invite à boire un pichet à la taverne de la Lamproie. Je dis pas non. Il était joli garçon, bien vêtu, avec un accent qui venait de loin. Le tavernier nous sert à boire. Au bout d'un moment, mon galant s'excuse et se lève ! Et il revient pas ! Quand je suis sortie pour voir, la charrette avait disparu.

– Es-tu sûre que c'est lui le coupable ? s'exclame Charlotte. Quelqu'un d'autre a pu la voler.

– Mais alors, pourquoi il serait parti sans rien dire ?

Charlotte insiste, en jouant un peu à la grande dame :

– Crois-tu aussi que c'est prudent de laisser ta charrette chaque fois que tu t'arrêtes ? Tu sais bien qu'une grande ville comme Tours attire les malfrats !

– Où l'as-tu eue, toi, cette charrette ? ai-je demandé tout à coup.

Reinette hésite un instant puis nous annonce tranquillement :

– Je l'ai volée.

Après un instant de stupeur, nous éclatons de rire toutes les trois.

– Là-bas au village, ajoute Reinette.

Cette fois, nous nous taisons. Ceux du village l'ont bien mérité.

Reinette nous raconte ensuite son départ de Tours. Dès le lendemain, elle a trouvé place auprès d'un charretier qui se rendait à Amboise. Pendant tout le trajet, il lui a collé la jambe, et le reste aussi, mais elle s'est défendue ! En arrivant ici, elle a eu l'idée de se présenter à l'hôtel-Dieu.

Lorsque Reinette est retournée à son panier de linge, j'ai posé à Charlotte la question qui me tracassait :

– Tu crois que cet homme cherchait la robe ?

Elle lève un sourcil puis l'autre, y ajoute une grimace.

– Difficile de savoir au juste ! Dans ce cas, il aurait pu la réclamer à Reinette. Demander à l'acheter tout simplement... Et cela n'explique pas pourquoi cette robe se trouvait dans la charrette. À moins que Reinette ne dise pas toute la vérité...

Nous sommes restées longtemps à discuter de ce mystère.

Pendant que nous parlions, Reinette, armée de son battoir, tapait de toutes ses forces sur le linge pour en chasser la crasse, et cela faisait peine à voir. J'ai demandé comment nous pourrions lui procurer un travail moins fatigant.

– Je vais me renseigner chez ma tante, conclut Charlotte. Les Hurault connaissent toutes les riches familles de Touraine.

47

J'ai failli répliquer que les Briçonnet avaient également de belles relations : plusieurs cousins de mon père ont servi le roi Louis comme ambassadeurs auprès du pape.

En vertu de ces alliances, que le roi François n'ignore pas, il me semble que nous pourrions toutes deux avoir nos entrées à la cour. Non ?

2ᵉ jour de juin, fête de Sainte-Blandine, patronne des servantes

*A*u lever, j'ai embrassé Mariette, qui a bougonné :

– Ah ça oui ! Je vais lui dire deux mots, à ta sainte Blandine ! Elle va en entendre, tu peux me croire !

C'est bien rare qu'elle fasse la mauvaise tête. Elle a dû se faire rudoyer par ma mère ou par Marguerite. Mais je n'ai pu obtenir la moindre explication.

4ᵉ jour de juin

*D*ès que j'aurai reposé cette plume et séché ma page, je cours chez Charlotte. La nouvelle tant attendue est arrivée ce matin : nous sommes officiellement conviées aux fêtes que le roi donne à la fin du mois pour le mariage de la princesse Renée de Bourbon, la sœur du connétable, avec le duc de Lorraine. En cette occasion, il invite les notables de la ville. Il partira pour la guerre dès la fin des festivités, qui vont durer plusieurs jours. Il faudra donc prévoir plusieurs tenues. Ma mère se félicite d'avoir acheté des dentelles et retenu les services d'un tailleur, que nous irons visiter dans son atelier après dîner.

❧

5ᵉ jour de juin

*L*e rose de l'émotion colore soudain le visage de ma mère. Il faut que la nouvelle soit d'importance ! En effet, c'est une lettre de mon frère, la première depuis son départ, venue de Lyon où il est cantonné. Hélas, il ne dit pas un mot de la ville. J'aurais pourtant aimé qu'il décrive les belles maisons des banquiers et des Italiens. Il ne parle que des préparatifs de guerre ! J'ai retenu de sa longue missive que l'armée est sur le point de franchir les Alpes. Quarante mille hommes enrôlés partout en France et même chez les mercenaires allemands. Le gros des troupes n'attend plus que l'ordre du roi pour se lancer à l'assaut des montagnes. De l'autre côté, il y a le duché de Milan, qu'il faut reconquérir. Antoine explique que la ville de Gênes, notre alliée avec Venise, est attaquée par les Suisses qui bataillent comme des lions. C'est donc avec les Suisses qu'il faudra en découdre, et ces rudes montagnards sont embusqués aux cols des Alpes. Antoine craint le pire avant même d'avoir passé les sommets. Fort heureusement, le chef de l'armée est le connétable Charles de Bourbon, le plus grand prince du royaume ! Non seulement il n'a pas hésité à faire fondre sa vaisselle d'or pour payer des troupes supplémentaires, mais surtout il est estimé, admiré par tous ses capitaines. Malgré la présence de ce chef remarquable, Antoine prévoit que le sang va couler en abondance.

Une inquiétude a glissé sur le visage de ma mère lorsqu'elle a relevé les yeux, puis plus rien.

Elle s'est empressée de houspiller la fille de cuisine, a répété qu'elle allait commander d'autres dentelles et que le tailleur avait dû commencer son ouvrage...

6ᵉ jour de juin

Demain sera le jour retenu pour essayer la robe et je ne me sens pas fière du tout. Avec tout ce mystère qui l'entoure, elle pourrait bien être source de malheur. Mille questions me tourmentent et finiront par me gâter l'humeur si je ne trouve pas moyen de penser à autre chose.

Jour de la Fête-Dieu,
7e jour de juin

Nous rentrons à l'instant de chez Mme Portia, et mon cœur balance entre la jubilation et l'effroi. Lorsque nous marchions tout à l'heure dans les rues sombres, la robe sur le bras de Marguerite enveloppée dans une grande toile blanche, il m'a semblé que quelqu'un nous a croisées et a brusquement fait demi-tour pour nous suivre. Ou plutôt suivre la robe. Il aurait pu nous attaquer et s'en emparer. Il ne l'a pas fait… Sans doute suis-je la seule à avoir entendu ce pas discret derrière nous. Ai-je bien tous mes esprits ou suis-je assaillie par les démons de l'inquiétude ? Dois-je me débarrasser de la robe, la revendre chez le fripier ? Ou bien la porter, comme le conseille si chaleureusement Mme Portia ? Car, je l'écris et je le souligne : de l'avis de tous, cette robe me va fort bien !

Ma mère a tenu à serrer elle-même les lacets qui fermaient le dos. Ni trop ni trop peu. Ensuite, elle a reculé de quelques pas, me laissant tourner lentement sur moi-même. Le corset me comprimait la poitrine sans toutefois m'empêcher de respirer. Le cœur battant, je scrutais les visages autour de moi et j'y ai vu d'abord l'étonnement, puis une approbation admirative. Ma mère elle-même ne cachait pas sa satisfaction. Marguerite était tout émue ; Mme Portia a battu des mains avant de commenter :

– L'échancrure du corsage est parfaite, le liseré de la chemise souligne le contraste entre ta peau et l'étoffe ; la taille est bien maintenue. Et quelle splendeur que ce satin de soie, plus souple que vos lourds velours et vos brocarts à la française !

Je l'écoutais, bouche bée.

– Oui, ma chérie, a-t-elle repris, je puis t'affirmer que cette robe est italienne. Comme tu es plus grande que nos *signorina* de Venise ou de Bologne, il faudra rallonger un peu le bas, n'est-ce pas, pour qu'il ne dévoile pas trop tes jolies chevilles !

Ma mère acquiesce d'un air entendu. C'est sa manière de donner son consentement ! Je porterai donc cette robe à la cour du roi ! Je lui souris de tout mon cœur. Et je remercie Mme Portia, qui me caresse la joue avant de proposer :

– Un peu de vin doux de Chypre et une petite collation à la manière de chez moi, qu'en dites-vous ?

Un *signore* italien, un des hôtes de la maison, se joint à nous et traverse la salle pour s'incliner devant les dames. Il tient sur son poing, non pas un faucon comme le feraient nos gentilshommes de France, mais un oiseau au plumage rutilant : un perroquet qu'il appelle *papagallo*. Sommes-nous encore à Amboise ou à Venise ? Dans les îles lointaines ? J'ai la tête qui tourne et le vin de Chypre, servi dans d'exquis gobelets de verre ciselé, n'arrange rien. Quant à la collation, c'est un régal de saveurs nouvelles : de petits artichauts farcis, de la tourte au melon, des olives aux épices, un fromage de Milan à croûte rouge...

Par précaution, je me suis rhabillée comme j'étais venue, afin de garder la robe intacte.

Plus tard, au moment de se quitter, Françoise Portia soulève les pendeloques qui ornent la belle ceinture ouvragée et lisse du doigt une pierre verte enserrée dans un cabochon d'argent.

– C'est du jade, murmure-t-elle, une pierre venue de Chine ou des îles d'Orient. À Venise, les dames en sont folles. On l'appelle « la pierre d'amour ». Elle te portera chance !

Elle ausculte à nouveau la robe, les broderies du corsage, les rangées de petits boutons brillants.

– Elle a été faite pour une personne de haute condition.

La façon dont elle appuie sur les derniers mots m'a alertée.

– Que voulez-vous dire ? Une princesse ?

– Presque !

J'avale deux fois ma salive avant d'oser lui demander :

– Savez-vous comment elle est arrivée jusqu'à nous ?

– Oh, c'est très simple, mon enfant ! N'oublie pas que les armées de France pillent l'Italie depuis des années. Le roi Charles a montré l'exemple en rapportant de Naples je ne sais combien de chariots remplis de belles choses : tapisseries, statues, et des milliers de livres... Toutes ces splendeurs ornent à présent le château là-haut. Loin de moi l'idée de le lui reprocher ! Les cités italiennes se font la guerre entre elles et agissent de même. Eh bien vois-tu, ta robe a certainement suivi ce chemin : rapportée du duché de Milan par l'un de vos capitaines, qui l'a peut-être achetée. Ou, mieux encore, gagnée en échange d'un baiser... Je te laisse rêver, ma chérie ! murmure-t-elle en me voyant rougir un peu.

Puis elle poursuit, d'un ton plus neutre car ma mère n'est pas loin :

– En tout cas, ce n'est pas la première fois que les fripiers de Tours vendent des parures venant d'Italie. Tu as bien fait de...

Elle s'arrête brusquement, se rappelant à temps que je suis censée avoir gagné la robe en pariant aux courses.

En riant, elle claque alors dans ses mains pour nous chasser de chez elle comme elle le ferait avec une nuée d'étourneaux, et nous regarde nous éloigner en agitant le bras.

Décidément, Françoise Portia ne ressemble à aucune autre personne.

Elle s'imagine que je suis allée faire cet achat chez le fripier. Je ne la détromperai pas. Par tous les voleurs de grand chemin, quel embrouillement autour de cette robe ! Je ne suis guère plus avancée, après ces révélations, et guère rassurée non plus.

Ce que je n'ai encore dit à personne, c'est que le jour de la fête au château, je rajouterai à la ceinture le petit miroir étincelant que je tiens caché. Et ce petit miroir est, à lui seul, un véritable trésor. Si un jour il pouvait exister en plus grand, nous pourrions nous voir tels que nous sommes, des pieds à la tête, sans la déformation ni les ternissures des miroirs en métal que nous avons aujourd'hui. Un autre nous-même surgirait en face de nous... Et dans cette image, chacun verrait-il le fond de son âme ?

l le jour de juin

Ma mère sort de ma chambre. Elle est persuadée que nous devons consulter un médecin expert en astrologie qui saura me prédire l'avenir. Et la rassurer sur celui d'Antoine, même si elle ne le dit pas ! Dans les moments importants de la vie, tous les gens que je connais prennent conseil auprès de ces savants capables d'interroger les astres. Je suis sûre que Madame Louise, la mère de notre roi, se penche chaque jour sur le destin de son cher François. J'ai donc accepté. Ma mère dit que le cardinal Briçonnet, l'illustre cousin de mon père, connaît à la cour un excellent médecin auquel nous pouvons nous fier.

12e jour de juin

J'ai marché longtemps au bord de l'Amasse avec Charlotte et Marguerite. Personne ne nous a suivies. Ce soir, j'ai le cœur plus léger.

13e jour de juin, fête de la Saint-Antoine

*M*arguerite est allée à l'église invoquer le saint patron de mon frère, qui a la réputation de guérir les plaies, y compris les plus graves, et de retrouver les brebis égarées. Mes parents ne pouvaient pas mieux baptiser leur fils ! Espérons que saint Antoine ne tardera pas trop à se manifester.

16e jour de juin

*P*ourquoi en ai-je fait toute une affaire ? Pénétrer dans le château royal est à la portée de tous, à tel point que des voleurs s'y glissent volontiers pour couper quelques bourses ! Chaque jour, des gens affluent de partout, qu'ils soient ambassadeurs vénitiens, gentilshommes ou simples marchands. Peut-être que Reinette y a déjà livré du linge et franchi la porte avant moi ! Notre roi affiche ainsi qu'il ne craint personne. À Amboise encore moins qu'ailleurs puisqu'il a exempté la ville de toute taxe, alors que le reste du royaume doit supporter des impôts de plus en plus lourds. Si un habitant d'Amboise se jetait sur lui, ce serait surtout pour lui embrasser les genoux !

Un peu intimidées malgré tout, ma mère et moi longeons le logis de la reine. Les gens autour de nous sont tous fort aimables et proprement habillés. Un gentilhomme nous indique le chemin vers le logis du donjon.

– Quel dommage que ton père ne soit pas là ! soupire ma mère après avoir remercié notre guide. Dieu merci, il rentrera pour la noce et pourra te présenter ses connaissances, tous ces gens très bien qui travaillent avec lui.

Nous y voilà ! Elle n'a pas changé d'avis et rêve d'un notaire de plus dans la famille ! Refusant d'entendre la suite – car je sais qu'elle va insister ! – je m'échappe vers le beau jardin qui surplombe la Loire. J'essaie de calmer ma colère en contemplant le fleuve qui s'étire entre les bouquets d'arbres. Non, non ! Jamais je n'aurai pour mari l'un de ces messieurs austères et bedonnants dont la seule ambition est de compter les deniers du roi.

Je me serais volontiers attardée à respirer les orangers, mais on ne doit pas faire attendre le sieur Louis

Burgensis. Ce vieux savant a le privilège d'être l'un des médecins de notre souverain. Il lui prend le pouls, surveille son déjeuner, le suit dans ses déplacements. De temps en temps, il soigne aussi d'autres personnes, et nous fait l'honneur de nous recevoir dans une vaste chambre suivie d'un petit cabinet.

Ma mère lui expose clairement sa requête : la position des astres en ce mois de juin serait-elle favorable à une rencontre « positive » pour la jeune personne que je suis ?

Je la laisse dire. Je ne sais pas si j'ai envie de rire ou de pleurer.

Il me dévisage calmement d'un œil bleu très froid, puis ajuste des lunettes sur son nez pour feuilleter un grand livre aux pages lourdes.

– Sans aucun doute, assure-t-il, il y a tout lieu de penser que les circonstances seront de bon augure pour mademoiselle. Vénus prendra le pas sur Mars...

Il poursuit, et je vois son œil se réchauffer un peu :

– ... et je présume que sa belle jeunesse agira là où le ciel serait moins propice.

Ma mère fait un petit signe d'acquiescement. Moi je souris jusqu'aux oreilles car, si j'ai bien compris, il m'autoriserait presque à tomber amoureuse ! D'ailleurs, il ajoute en s'adressant à ma mère :

– Madame, à la cour du roi François, les femmes sont maîtresses d'elles-mêmes et n'ont point besoin de demander à quiconque la permission de danser, de chasser ou d'aimer. Elles sont belles, gaies et savantes. C'est ainsi que le roi les apprécie.

Savantes ! Je regrette soudain mes fous rires pendant les leçons de maître Rigard, mon précepteur. Ses efforts acharnés n'ont pas réussi à me faire aimer le latin et, de la géographie, je n'ai retenu avec intérêt que le nom d'America, qui désigne les nouvelles terres de l'autre côté de l'océan.

Le savant docteur poursuit :

– Grâce à ces trois qualités, et avec l'aide de Dieu, l'avenir sourira à votre fille. Mademoiselle, sachez cependant, dit-il en reprenant son air sévère, que vous aurez à vous méfier de votre nature emportée, à contrôler les humeurs de votre tempérament sanguin. Soignez votre alimentation : de la laitue, des viandes blanches, du jus de nénuphar, du lait d'orge peut-être… Enfin, apprenez qu'un joli jeune homme à l'œil langoureux ne fait pas nécessairement un bon mari. N'oubliez jamais ce que je vous dis là, n'est-ce pas ? Allez maintenant !

Il me fait signe de me retirer.

J'ai salué d'une courbette et je me suis réfugiée sous la galerie pendant que ma mère payait le prix de la visite.

En redescendant, nous avons croisé quatre chats qui batifolaient.

– Quatre chats d'un coup, cela produit du bonheur et de l'avancement en amour ! a dit Marguerite qui nous guettait depuis le petit jardin donnant sur la ruelle.

18e jour de juin

La fille de cuisine a la fièvre tierce et Mariette se plaint de langueur. Impossible de trouver une servante pour quelques jours. La ville est pleine à craquer. Les métiers de bouche, les lavandières, les tailleurs, brodeurs et bonnetiers travaillent sans relâche du lever au coucher du soleil. Et ce sont les jours les plus longs de l'année !

Pour nous épargner la préparation des repas, Marguerite et moi allons chercher des plats tout chauds chez le cuisinier italien qui vient d'ouvrir boutique. Nous y croisons Mme Portia, ravie de nous conseiller ce qui est bon : ravioli ou cannelloni, tortiglioni aux raisins...

Charlotte, qui dîne avec nous, me félicite d'avoir déjà le palais italien.

– Avec la robe assortie ! ai-je répondu.

Et nous nous étranglons de rire à chercher le nom d'un duc de Venise ou de Milan qui s'occuperait du tout !

21e jour de juin

Le jour le plus long de l'année se traîne interminablement. D'ordinaire, je me réjouis des festivités liées à la gloire du soleil et de l'été. Cette année, tout cela m'ennuie. J'attends la fête au château, qui aura lieu dans quatre jours. La robe est prête, rafraîchie, repassée. L'inconnu qui la voulait n'a pas reparu. Je me faisais des frayeurs pour rien. J'attends la noce en regardant la ville se préparer et de beaux attelages fringants monter à la tour. La fiancée est arrivée après dîner ; nous l'avons à peine entrevue derrière les rideaux de la litière portant le blason des Bourbons. Est-elle brune ? Est-elle blonde ? Sa mère était une princesse italienne. Le futur mari s'appelle Antoine. Tous deux sont de sang royal...

Je perds mon temps à noircir les pages alors que tout est dit. Il suffit d'attendre.

C'est décidé, je n'écris plus un mot jusqu'au soir de la fête.

27ᵉ jour de juin, à l'aube

Je me persuade que je suis très calme, que dans un moment, demain au plus tard, tout reprendra son cours paisible. Mais ma gorge ne se desserre pas, mon cœur continue de cogner comme un oiseau qui voudrait s'échapper de sa cage. Mes doigts crispés sur la plume ne savent plus la commander. La ville va s'éveiller bientôt et moi je n'ai pas dormi. Je voudrais me plonger toute nue dans l'Amasse, laisser l'eau emporter mes émotions et redevenir celle que j'étais hier. Ah ! Voici la cloche des minimes qui sonne le premier office du jour. Un peu de paix et des prières pour adoucir mon tumulte...

Lorsque Mariette a lacé le corset dans mon dos, je me suis dit que tout commençait. Elle n'osait pas serrer fort et moi je riais en disant : « Encore, encore ! » Comme ma mère l'autre jour chez Françoise Portia, elle a reculé et ouvert de grands yeux remplis d'admiration.

– C'est si beau, ce pourpre et ce vert sur ta peau claire, et ces crevés aux manches qui laissent voir la finesse de la chemise.

Marguerite est venue nous aider. Sur son conseil, j'ai laissé mes cheveux onduler sur les tempes et fixé le chaperon en arrière du front.

Nous avons accroché à la longue ceinture le petit miroir que j'ai dissimulé entre le jupon et la robe à l'aide d'une boucle de ruban. Voilà, j'étais prête. J'avais aux pieds de petits escarpins de satin vert assortis au jupon. Tout était bien.

Mon père a souri en me voyant descendre l'escalier avec précaution.

– Ma fille, voilà une robe qui ne ferait pas honte à une duchesse, et je ne doute pas que bien des regards soient charmés par cette apparition.

Dieu merci, il ne résumait pas la gent masculine aux seuls messieurs de son entourage ! La fête s'annonçait belle et j'avais le cœur léger lorsque nous avons retrouvé Charlotte qui, elle aussi, avait soigné sa mise : léger velours bleu d'azur, manches très évasées brodées au fil d'argent et petite aumônière bleu nuit.

Par manque de place, étant donné la foule des invités, nous étions tous rassemblés dans le jardin lorsque le cortège est sorti de l'église Saint-Florentin. La mariée m'a paru austère malgré la magnificence du costume, et son époux très brun, massif, avec un nez fort long. Le plus superbe de tous, marchant juste derrière le roi dans la procession, était le connétable de Bourbon, le frère de la jeune épousée. Quelqu'un a chuchoté sur son passage qu'il touchait à lui seul trois cent mille livres par an.

– Il ne se déplace jamais sans sa garde personnelle : pas moins de cent vingt gentilshommes ! a renchéri une autre voix.

Les dames ont fait taire les bavards en ripostant que le connétable risquait sa vie et dépensait sa fortune pour servir le roi alors que d'autres ne pensaient qu'à s'enrichir sans vouloir perdre un cheveu. J'ai trouvé que c'était bien dit.

Charlotte m'a poussée du coude lorsque le roi François est passé près de nous, en pourpoint or et brun assorti à ses cheveux, le collier de l'ordre de Saint-Michel soulignant sa large poitrine. Il tenait sur son poing fermé les doigts menus de la reine Claude, souriante malgré son ventre gros de sept mois. Lui si grand, si mince, et elle si petite, si lourde. Ce couple mal assorti me faisait peine à voir. Pour rien au monde, je ne voudrais être à la place de la reine Claude, qui porte cet enfant de roi tandis que des filles aguichantes papillonnent autour de son époux.

Dispersés dans le jardin et les galeries, des musiciens ont sonné le début des festivités. Il y avait toute sorte de divertissements, des spectacles et des jeux, des tables garnies d'appétissantes collations. Assis au milieu de la fontaine, le bouffon du roi jouait à cracher de la dragée, des bons mots ou d'horribles grossièretés, selon son imprévisible fantaisie. Charlotte et moi avons échappé au pire en nous glissant discrètement vers un autre groupe à la rencontre de visages connus.

Ma robe faisait grand effet, sans pour autant concentrer tous les regards, ce qui m'aurait mise mal à l'aise. En réalité, la mode italienne n'est plus tout à fait une nouveauté en France, et les Italiens de leur côté s'inspirent des costumes français. Mais la ceinture ornée a remporté le plus vif succès, en particulier le miroir cristallin que j'ai montré à certains.

La fraîcheur du soir montait du fleuve lorsque le grand maître, qui dirige l'Hôtel du roi, a ouvert les portes de la salle au rez-de-chaussée du logis royal. Les tables étaient dressées, des milliers de torches pendues au plafond éclairaient *a giorno*, comme en plein jour, alors que la lumière dehors baissait doucement.

Des mains sont venues nous enserrer la taille, nous caresser la joue, poser des fleurs d'oranger sur nos épaules. La meute de nos cousins et amis nous avait trouvées ! C'était Guillaume Binet, le plus hardi, un des amis de mon frère, qui menait la bande. Le souper fut délicieux et fort gai. Je n'ai goûté que quelques plats, voulant rester légère pour la danse, mais je me souviens des fondants au safran, de la sauce aux groseilles, et des petites bouchées délectables que l'on nous a servies en sortant de table pendant que les serviteurs débarrassaient la salle et remplaçaient les chandelles.

Dès que les musiciens ont attaqué avec vielles et violons, nos courtisans se sont empressés. Guillaume Binet a voulu être le premier à se poser en face de moi. Je ne lui ai accordé qu'une basse-danse alors qu'il avait bien envie de se démener davantage. Nous avons fait quelques pas en cadence, un peu cérémonieux. Je préférais réserver à d'autres les danses plus vives comme la gaillarde ou la volte. Et c'est là que tout s'est gâté. Parce qu'un homme s'est approché. Ni beau ni laid, avec un regard brun sur un visage hâlé. Un homme inqualifiable. Que faisait-il là ? Paysan ou artisan plus que bourgeois, et certainement pas gentilhomme ! Pourtant, n'avait-il pas une épée au côté ? Je ne sais plus. Habillé proprement mais sans recherche, bien que sa chemise fût très belle, je m'en souviens. Car j'ai dansé avec lui ! Avec plaisir même, la première fois. Où a-t-il appris cette danse toute nouvelle qui nous vient d'Italie ? Cinq pas en levant la jambe gauche puis la droite, et sauter à pieds joints, – gracieusement cela s'entend ! – avant de recommencer. Il savait y faire et moi aussi. Mon maître de danse, il n'y a pas si longtemps, affirmait volontiers que j'étais sa meilleure élève.

Il me regardait avec intensité, j'avais oublié que j'avais une belle robe. J'ai compris plus tard qu'il regardait surtout la robe. Et là encore, je ne me suis pas méfiée !

– Le tissu vient d'Italie ; c'est à la pointe du bon goût.

Des mots simples, pas de compliment.

– Vous êtes fin connaisseur, monsieur !

Il hausse un peu les épaules.

– Mon grand père était drapier et nous a transmis son savoir.

Polie, intéressée, je m'enquiers :

– Drapier par ici ?

– Non, du côté de Toulouse, même un peu plus loin.

Lorsque finit la danse, il ne m'attrape pas la taille, ne regarde ni mes yeux ni ma bouche. Ses yeux fouillent les lignes du corsage, s'attardent sur le tombé de la jupe, détaillent les ornements de la ceinture.

Il hésite, puis salue et s'éloigne. Un peu étourdie, je rejoins mes admirateurs étonnés qui ricanent :

– C'est qui ce rustaud ? D'où sort-il ?

Ils m'agacent tous. Je réplique :

– Un rustaud qui n'a pas son pareil pour danser la gaillarde !

Malheur à la coquette que je suis ! Piqué au vif, Guillaume Binet m'entraîne dans une volte. Je n'ai pas le temps de dire non que nous sommes déjà en place. C'est une danse un peu sauvage que la volte, où les femmes, soulevées de terre par leur cavalier, montrent allègrement leurs jambes et leurs jupons. Heureusement, j'avais pris garde de mettre mes bas-de-chausses les plus élégants, aussi fins qu'une toile d'araignée. Dans ce bouillonnement d'étoffes, la lourde ceinture se dénoue, le petit miroir scintille à la lueur des torches, réfléchit la lumière. Les spectateurs, de plus en plus nombreux, ne manquent pas d'applaudir.

Lorsque la danse s'achève, j'évite de justesse le baiser que Guillaume compte bien obtenir et je m'éclipse pour me réajuster. À la suite de ces cabrioles, j'ai le cheveu défait et la poitrine haletante.

– Tu ne perds rien pour attendre ! me lance-t-il, dépité.

Je suis bien aise qu'il ne veuille m'accompagner. Peu après, je l'ai regretté.

Sur la terrasse, il fait frais. Des torches brûlent çà et là ; les orangers embaument. Je m'avance vers leur parfum suave. Ce pourrait être délicieux… mais voici que l'étranger réapparaît.

– Vous avez là sur votre robe un objet de très grande valeur. Je souhaiterais l'acquérir, dit-il en désignant le petit miroir que je ne cherche plus à cacher.

– Non, monsieur, il fait partie de l'ensemble, et je prends plaisir à l'utiliser tous les matins. Ce miroir n'est pas à vendre.

Il insiste. Je refuse.

Sa voix devient coupante comme du métal.

– Mademoiselle, cela fait des semaines que je le cherche et je ne partirai pas sans lui.

Je résiste, je tiens tête. Il avance, je recule. J'élève la voix. Je le traite de voleur, de ruffian. Il parle entre ses dents, je ne sais plus ce qu'il répond. Je cherche des yeux l'aide de quelqu'un. Charlotte n'est pas là. Cela fait un moment qu'elle a disparu avec Arnaud de Beaune. Je voudrais revenir vers la lumière, mais il me barre la route. Alors, je me détourne, je cours en tenant mes jupes et ma ceinture. Je m'engage sous la galerie vers le donjon, et voilà que deux autres individus m'agrippent près d'un pilier.

– Oh la belle robe ! C'est celle que nous voulons !

– Et la demoiselle avec ! Pas vrai ?

Ils m'entraînent vers le fossé.

– Tu nous l'avais volée, hein ? Va falloir payer, la belle !

Cette fois, j'ai vraiment peur. Je crie et me débats. J'entends la ceinture cogner contre la pierre. Un bruit de verre. Le précieux miroir vient de se briser. L'inconnu qui me poursuit se baisse aussitôt pour ramasser les débris. Et puis quoi ? A-t-il fait un signe ? Les deux autres semblent surpris. On dirait qu'ils se battent ! Pour un morceau de verre brisé ? Je n'en sais rien. J'ai couru. J'ai réussi à fuir à travers le jardin rempli d'amoureux enlacés derrière les buissons.

Avant de rentrer dans la salle, je me suis précipitée vers l'une des garde-robes où je me suis calmée, rafraîchie.

Lorsque j'ai retrouvé les autres un peu plus tard, ils sirotaient de l'hypocras en attendant la reprise des danses. J'ai fait bonne figure, causé et ri, sans quitter la protection de Guillaume Binet, qui semblait comblé.

C'est lui qui m'a raccompagnée jusqu'à la maison, avec la permission de mes parents qui avaient festoyé dans une autre salle.

Pendant que nous redescendions la rampe, ils marchaient derrière avec d'autres notables, et Charlotte, accrochée au bras d'Arnaud de Beaune, pouffait de rire à chaque instant. À la porte, Guillaume s'est montré pressant ; je me suis retenue de le gifler.

Blottie à présent dans ma chambre, je claque des dents. Mariette dormait, le visage marqué par la fatigue et je n'ai pas eu le courage de la réveiller. J'ai arraché comme j'ai pu les lacets du corsage. La robe est tombée à terre et je l'ai piétinée sans regret pour atteindre mon lit. Je ne la mettrai jamais plus.

*28e jour de juin,
au matin*

*A*fin que l'on me laisse en paix, j'ai fait savoir que je souffrais d'un flux de ventre dû à l'excès de bonne chère.

Là-haut, la fête continue sans moi.

Tout en se préparant pour les festivités d'aujourd'hui, ma mère se lamente de me voir rater tant de belles rencontres. Si elle savait combien celle d'hier m'occupe le cœur et l'esprit !

Charlotte est passée me voir, gaie comme un pinson, tout émoustillée par les baisers qu'elle a échangés avec

Arnaud de Beaune. Elle se désole pour moi. Je me tais. Qu'irais-je donc lui raconter, alors que je connais déjà la réponse ?

« Tu vois, Anne, j'étais sûre que cette robe n'était pas faite pour toi ! Quelle idée aussi de te jeter sur un vêtement trouvé dans un tas de vieilles chiffes ! »

Merci bien. Cela m'agace d'autant qu'elle a peut-être raison. Ah, pourquoi me suis-je entichée de cette robe ?

Réfugiée dans mon silence, je bois à petites gorgées les tisanes de mélisse et verveine, ou anis et camomille, que ma mère me fait préparer et j'irai grignoter à la cuisine dès que tout le monde sera parti.

Ce même jour, après Dîner

Quelle ambiance détestable à la maison ! Mariette traîne sa mauvaise humeur pendant que je ressasse la mienne. Je suis sortie avec Marguerite, qui me soutenait le bras, étant donné ma faiblesse ! J'ai prétexté une prière à la chapelle de l'hôtel-Dieu pour tenter d'apercevoir Reinette, que je n'ai pas trouvée. Je voudrais qu'elle me décrive avec précision l'homme qui l'a abordée l'autre jour. Coûte que coûte, il me faudra percer le mystère qui entoure cette robe.

*L*a ville est tout en émoi car le roi hier a fait des prouesses qui ont failli le tuer. Mes parents, Charlotte et les voisins sont intarissables sur le sujet, si bien que je peux le raconter comme si j'avais suivi le spectacle.

Après un nouveau festin, encore plus somptueux que le premier, le roi a fait rassembler les convives dans les deux étages de la galerie devant le logis de la reine. La cour, fermée par des palissades, s'est transformée en lices pour une chasse au sanglier sauvage que les veneurs avaient capturé dans la forêt. À peine libérée de sa cage, la bête hargneuse a laissé éclater sa fureur. À coups d'épaule et de groin, elle réussit à déplacer les lourds coffres qui protègent les spectateurs et se précipite sur eux. Le roi se trouve en première position. Sans reculer d'un pouce, il tire son épée et l'enfonce vaillamment dans le poitrail de l'animal. Celui-ci chancelle, tente encore quelques pas et s'écroule, mort. La foule crie son enthousiasme, la reine Claude pleure d'émotion, et le roi est porté en triomphe à travers le château. Le récit de cette action d'éclat court déjà sur les routes de France. Ici, à Amboise, les gens s'extasient : brave à la chasse, notre souverain le sera aussi à la guerre, et sa témérité force l'admiration de tous les gentilshommes. S'il avait assisté à la scène, mon frère Antoine ne me contredirait pas.

Tard le soir

Charlotte a évoqué la mine déconfite de Guillaume Binet découvrant mon absence. Il comptait pousser l'avantage qu'il croit avoir acquis le premier soir. Ce sera peine perdue et je dois l'en avertir au plus vite, afin qu'il n'aille pas s'imaginer tenir un jour Anne de Cormes entre ses bras. Rien que cette pensée me donne la chair de poule ! Guillaume est prétentieux, assoiffé de pouvoir et de réussite. Il sera d'ici peu conseiller au Parlement et plus tard maître des requêtes ou grand avocat. Un avenir prestigieux dont il se vante déjà et pour lequel je n'ai pas d'attirance. Marie, mère de Dieu, aidez-moi ! S'il est bien rare de tomber amoureuse de son futur mari, puis-je tout de même espérer ressentir un petit élan envers celui que je devrai épouser !?

Dans la nuit du 3ᵛᵉ jour de juin

Le brouhaha était si intense que je me suis réveillée. Des cris dans la rue, des vivats, des pas pressés... C'est le roi qui s'en va. Vite ! J'enfile un manteau sur ma chemise. Je réveille Marguerite, qui fait de même, et nous voilà toutes deux à courir dans les rues encore noires. Nombreux sont ceux qui se hâtent comme nous vers la tour de César. Au pied de la muraille, la foule est dense et le spectacle inédit : au milieu de tous ces gens à peine vêtus, le roi est là, magnifique et souriant comme à l'accoutumée. Sans descendre de cheval, il prend le temps de nous saluer, de boire le vin chaud qu'on lui tend. Il part reconquérir le duché de Milan, il n'a peur de rien et dit que le royaume est dans la main de Dieu. Sur un signe de lui, le capitaine de la garde s'engage en direction de Montrichard, et la troupe s'éloigne à la lueur des torches. Nous agitons le bras, certaines envoient des baisers. Les cavaliers disparaissent déjà au tournant de la route. Le roi fera escale ce soir à Romorantin. Avant de descendre vers le sud, il s'arrêtera à Moulins sur les terres du connétable de Bourbon.

Je frissonne sur le chemin du retour et la fraîcheur de la nuit n'est pas seule en cause. Marguerite me dit placidement en me serrant le bras :

– Anne, voyons ! Qu'est-ce qui te prend ? Tu n'as rien à craindre. Nous sommes à Amboise, sous le château royal !

Chère et naïve Marguerite ! Non, il ne se passe rien à Amboise. J'ai seulement fait un mauvais rêve...

Dimanche, 1er jour de juillet

Qu'entends-je ? Une rumeur courant de boutique en boutique chuchote que le roi ne s'est pas donné la peine d'embrasser sa femme avant de partir. Celle-ci vient pourtant de lui céder tous ses droits sur le duché de Milan qui faisait partie de son héritage personnel. Le roi François s'en va-t-en guerre sans une marque de reconnaissance. C'est à sa mère qu'il offre les rênes du pouvoir. Pendant son absence, Madame Louise dirigera la France et défendra bec et ongles les intérêts de son fils. Chacun sait cela à Amboise comme ailleurs.

De mon côté, je cours demander à Charlotte comment elle considère l'attitude du roi dans cette affaire.

❧

2ᵉ jour de juillet

Je sentais bien que Charlotte tournait autour du pot ! Il lui a fallu un certain temps avant de me révéler ce détail : au château, le jour de la chasse au sanglier, elle a aperçu – et les autres aussi ! – « le rustaud » qui avait si bien dansé la gaillarde avec moi. Il portait le même pourpoint sans éclat que la veille et semblait accompagné par un très jeune homme à l'allure dégourdie.

« Sûrement l'un des deux bandits qui m'ont attaqué ! » ai-je pensé, tandis que mon cœur se serrait à remuer ce pénible souvenir.

J'ai feint l'indifférente, mais je doute que Charlotte ait été totalement dupe. D'après ce qu'elle m'a dit, l'inconnu n'adressait la parole à personne, semblait étranger et distant au milieu de tous les visages enjoués.

Que cherchait-il ? Encore et toujours la robe ? Ira-t-il jusqu'à me harceler chez moi ? Qu'il vienne et l'on verra comment je saurai le recevoir !

Plus tard, ce même jour

Quelle journée !

Après le dîner, j'ai trouvé Mariette assise dans l'escalier, le dos appuyé au mur, pâle comme un bonnet de nuit.

– Mariette, tu es malade ?

Elle grimace un sourire, le menton tremblant, et dessine devant elle un gros ventre avec ses deux mains.

– Un bébé ? Mon Dieu, Mariette, tu attends un bébé !

Bouleversée, je m'assieds sur les marches. Elle s'écroule dans mes bras en pleurant.

– Et lui qui n'est pas prévenu ! Voudra peut-être plus de moi... Qu'est-ce que je vais devenir ? Et ta mère, hein ? Sûrement qu'elle s'attendait pas à ça !

Elle hoquette de désespoir sur mon épaule et je ne parviens pas à la réconforter.

J'appelle à l'aide. Marguerite accourt. Nous portons Mariette jusqu'à mon lit. Je l'installe dans mes oreillers, au chaud sous la couverture, commande pour elle à la cuisine une tisane de menthe. Puis je vais annoncer la nouvelle à ma mère, qui m'écoute en silence. Elle va monter voir Mariette d'un moment à l'autre. La pauvrette tremble à l'idée de se faire jeter dehors, mais je ne pense pas que ma mère sera aussi dure.

3e jour de juillet

Non, ma mère n'est pas une méchante personne. Elle s'est entretenue un long moment avec Mariette et a recommandé en sortant qu'on la laisse se reposer. Puis elle a envoyé un message à Cormes afin de quérir Rogier, installé là-bas durant le temps de la moisson. Elle demande que Rogier emmène Mariette à Tours et s'assure de son bien-être en l'installant chez nous, où elle effectuera de petits travaux. Rogier a aussi pour mission d'avertir le curé de Notre-Dame-la-Riche, ou bien celui de notre paroisse puisque Mariette n'a plus de famille. Il faut la marier au plus vite, si son amoureux y consent. Si celui-ci est hésitant, Rogier devra faire preuve d'autorité.

Il semble que ces dispositions soulagent l'inquiétude de Mariette. Nous attendons donc l'arrivée de Rogier.

4e jour de juillet

En réalité, la maisonnée est aux petits soins pour la future mère. C'est tout juste si nous osons encore lui demander un service. Bref, ma chambrière garde la chambre tandis que je m'active à monter et à descendre l'escalier. De ce fait, les journées passent plus vite et mon cahier se languit de moi.

5e jour de juillet

Cette nuit, j'ai peu dormi et laissé ma chandelle brûler jusqu'au petit jour.

Mes pensées ont d'abord tourné autour de Mariette, puis la robe a de nouveau envahi mon esprit. Afin d'être délivrée d'elle, j'ai fini par prendre une grave décision : je la donne à Mariette. Ce sera mon cadeau de départ. Elle la revendra un bon prix à un fripier de Tours. Avec l'argent, elle s'achètera des vêtements adaptés à son état, une robe lacée sur le côté, des langes pour emmailloter le petit, un bassin pour le bain.

6e jour de juillet

Rogier nous fait savoir de Cormes qu'il y a plusieurs récoltes à engranger, ce qui aura pour effet de retarder son départ.

Enfin, j'ai vu Reinette ! Je l'ai attendue au bord du pré où les lavandières étendent les grandes toiles au soleil, et nous avons pu parler à cœur ouvert en pliant le linge qui sentait bon l'herbe fraîche. Je suis certaine qu'elle ne ment pas. Elle ne sait pas du tout qui a caché la robe dans la charrette. Ce matin-là, avant l'accident de la rôtisserie, elle a circulé dans le quartier des Tanneurs et s'est arrêtée devant les auberges près du pont. Dans l'une d'elles, la patronne l'a fait entrer pour lui proposer un sac d'étoupe à revendre chez l'apothicaire.

– Va savoir ce qui s'est passé ! commente Reinette, penchée vers la pile de linge bien blanc. Pendant que j'étais occupée, un des hôtes de l'auberge a pu glisser ce qu'il voulait dans ma charrette.

– Ou ce qu'il volait ! ai-je répliqué.

Elle a hoché la tête.

– Bien sûr ! C'est moi qui transporte. Si la milice m'arrête, c'est moi qu'on enferme.

– Donc le jeune homme qui t'a emmenée à la taverne de la Lamproie était sans doute le voleur...

– Ou le volé.

Le volé ? Je n'y avais pas songé. Cela m'étonnerait... Non, plutôt le voleur. Il a tout de même envoyé ses sbires à mes trousses dans la galerie du château !

Guillaume Binet s'est présenté à la maison pour m'inviter à une promenade sur l'eau en compagnie de Charlotte et d'Arnaud de Beaune. Ma mère, qui les a accueillis, s'est empressée de laisser entendre que cela me ferait plaisir, que j'avais besoin de me distraire...

Lorsqu'elle est montée me chercher dans ma chambre, j'ai refusé l'invitation. Personne n'a compris. Charlotte est venue à la rescousse et, me voyant devant mon cahier que je n'avais pas refermé, s'est écriée :

– Anne, je ne te reconnais plus. Toujours seule à écrire alors que dehors la vie est si palpitante !

Elle s'est approchée, les larmes aux yeux.

– Où est mon amie d'antan ? Celle avec qui je riais, celle qui avait tant d'esprit et de fantaisie ?

Je me suis laissé convaincre et je les ai rejoints sur la rive. Guillaume avait loué une barque manœuvrée par un batelier. J'ai pris place le plus loin possible de lui. Tout au long de la promenade, je me suis efforcée d'être charmante avec tous, fuyant sans cesse son regard qui voulait accrocher le mien. Heureusement, il y a eu une belle diversion, un moment inoubliable : nous avons croisé une embarcation sur laquelle jouaient des musiciens, l'un du luth et l'autre de la flûte. Deux jeunes filles à bord ont entonné une petite camusette, si belle que j'en ai eu la gorge nouée. Les sons qui venaient jusqu'à nous semblaient portés par l'eau. Longtemps après les avoir perdus de vue, on entendait encore les voix et les instruments se répondre. Guillaume a montré sa science en affirmant qu'il s'agissait d'une chanson écrite par Josquin des Prés. Il ne risquait pas beaucoup de se tromper : c'est le plus grand musicien de notre temps.

⚜

1er jour de juillet

Mariette est partie ce matin. Je l'ai serrée dans mes bras et je lui ai tendu le paquet contenant la robe.

– Ne l'ouvre surtout pas maintenant ! Tu verras, cela te permettra de faire quelques achats.

Je ne pouvais pas en dire davantage. Elle a souri en me pressant la main.

Elle emporte toutes ses affaires, contenues dans un petit coffre de bois sans serrure ni double fond.

Ma mère a donné de multiples recommandations à Rogier.

– Mais oui ! Je vais la mignoter comme si elle était ma promise ! a-t-il répondu avec un sourire en coin.

Nous avons éclaté de rire, même Mariette, qui reprend des couleurs depuis qu'elle a moins de souci.

Rogier fait partie de notre famille. Je l'ai toujours connu. Il sert mon père depuis son jeune âge et protégera Mariette du mieux qu'il pourra.

J'avais le cœur serré en voyant s'éloigner la petite silhouette tassée sur le banc de la charrette.

Quand la reverrai-je ? Elle s'en va en tenant contre elle la robe qui a porté mes rêves et l'espoir un peu fou d'échapper au destin qui m'attend. Seigneur Dieu, éclairez-moi ! Dois-je me résigner ou espérer encore ?

Si Mme Portia était encore à Amboise, je courrais lui demander conseil. Mais elle a suivi son époux, qui traite des affaires à Lyon. Je la vois d'ici rire et battre des mains dans les festins offerts par les banquiers ou les négociants italiens. Ah, comme j'envie son imperturbable bonne humeur !

11e jour de juillet

La plupart des visiteurs ayant quitté la ville, la tante de Charlotte ferme sa maison. Elle emmène sa nièce à Paris, où les Hurault possèdent plusieurs demeures. Charlotte ne se réjouit guère, car Paris à la saison chaude est d'une effroyable puanteur, et les miasmes qu'on y respire sont sources de tous les maux. Durant l'été, rien ne vaut une bonne maison des champs.

Moi, je ne rêve plus que d'être à Cormes.

12ᵉ jour de juillet

*L*e chevaucheur de la poste royale qui apporte les lettres au château s'est arrêté près du beffroi pour nous crier la nouvelle : le roi François est arrivé à Lyon hier.

Ma mère espère une lettre d'Antoine avant que les troupes ne quittent la ville pour s'engager vers les Alpes. Elle craint pour sa vie. Je la comprends. Il est maintenant certain que les Suisses se tiennent embusqués en haut des cols. L'armée de France ne pourra passer sans subir de lourdes pertes.

14ᵉ jour de juillet

*P*ourquoi n'y ai-je pas pensé plus tôt ? Reinette me semble toute désignée pour remplacer Mariette. Elle aura un travail moins pénible et moi une nouvelle chambrière. J'en ai parlé à ma mère, qui ne dit pas non, et demande à la voir.

15ᵉ jour de juillet

*R*einette est venue et ma mère l'a acceptée. J'ai passé la journée à lui montrer la maison, à lui expliquer les tâches qu'elle aura à accomplir. Quand elle a découvert la soupente où elle dormira, elle s'est exclamée que jamais elle n'avait été aussi bien logée.

Et que j'écrive mes pensées dans un cahier l'a laissée muette d'étonnement.

16ᵉ jour de juillet

*L*e séjour ici devient insupportable. Guillaume Binet m'importune de ses assiduités ! La situation s'aggrave depuis que Charlotte n'est plus là pour combler les silences lors des visites qu'il m'impose. Je sens bien qu'il ne m'aime pas. Admettons seulement que je lui plaise. J'ai un minois fort acceptable, un nom prestigieux, et mon père me donnera pour dot le manoir de Cormes qui rapporte quatre mille livres par an. Guillaume a donc décidé que je serai l'élue parmi les jeunes filles qu'il convoite. Je dois me réfugier à Cormes avant qu'il ne fasse sa demande ! Là-bas, je serai plus forte pour dire non. Vite, il faut partir. Et Rogier qui ne revient pas...

18ᵉ jour de juillet,
tard le soir

*M*algré le beau temps, je grelotte dans mon lit.

Guillaume a fait sa demande que ma mère a reçue avec bienveillance.

À la suite de quoi, nous avons eu, elle et moi, une discussion orageuse :

– Ne vois-tu pas à quel point il est faux, imbu de lui-même ?

Elle hausse les épaules. Je poursuis :

– Mon père, quand il s'est présenté à toi, jouait-il au coq comme le fait Guillaume Binet ? T'a-t-il forcée à danser ? A-t-il pavané de salle en salle parce qu'il tenait la charge de notaire du roi ? Non ? Alors pourquoi ne comprends-tu pas ?

Elle soupire :

– Les Binet sont pourtant des gens respectables.

Je réplique que je ne veux plus le rencontrer. Je crie que je suis capable de le gifler. Je hurle, je hurle n'importe quoi afin qu'elle m'entende !

Lorsque je parviens à me calmer, elle a des larmes plein les yeux. Elle dit :

– Je vais écrire à ton père, lui faire part de la demande de Guillaume et de ton obstination. Je lui suggérerai que c'est un peu tôt, que tu es jeune encore et, de toute évidence, peu disposée à te marier.

Oh merci, ma mère ! Que m'importe que vous confondiez mon aversion pour Guillaume avec un refus du mariage. Qu'importe, puisque vous acceptez de me laisser en paix.

Plus tard encore

*I*nquiète de m'avoir entendue crier, Reinette est venue gratter à la porte. Elle a du mal à comprendre que je refuse de m'unir à un homme riche et plein d'avenir.

– Moi, je rêve d'avoir des belles robes et plus jamais les mains dans l'eau glacée à laver le linge des autres, murmure-t-elle pensivement. Si jamais quelqu'un m'offrait ça, je l'aimerais… Ah, je te jure que je l'aimerais de toutes mes forces.

Oui, Reinette, j'entends bien. Et moi qui possède de beaux atours et ne crains pas l'eau froide, j'ai dans le cœur une question lancinante : cet amour que l'on décrit dans les livres et les chansons, à qui est-il réservé ? Au roi seul et à ses belles dames ? Certainement pas aux riches bourgeoises, encore moins aux petites lavandières, puisque aucun Guillaume Binet ni aucun de ses semblables ne tendra jamais la main à une pauvresse comme toi, Reinette, si ce n'est, hélas, pour la coucher quelques instants sur le bord d'un talus…

20e jour de juillet, fête de la Sainte-Marguerite

*B*onne sainte Marguerite, vous qui aidez aux accouchements, je vous en prie, veillez sur Mariette lorsque le moment sera venu, et sur notre reine Claude qui compte les jours jusqu'à la délivrance. Sans oublier les Marguerite – il y en a tant – qui portent votre nom afin de recevoir cette protection particulière de vous.

*21ᵉ jour de juillet,
dans la matinée*

*A*u galop des chevaucheurs de la poste, les missives courent à travers le royaume. Ma mère a eu un grand beau sourire ce matin en recevant la lettre d'Antoine.

Nous apprenons que le plus gros de l'armée, dirigé par le connétable de Bourbon, a quitté Lyon pour Grenoble il y a quelques jours. Il sera suivi de près par le deuxième corps d'armée que commande le roi en personne. Enfin, Charles d'Alençon, le beau-frère du roi, est le chef de l'arrière-garde. Antoine est très confiant. *L'armée de France est si puissante*, écrit-il, *que l'ennemi reculera sans livrer bataille*. Nous l'espérons aussi.

*22ᵉ jour de juillet, fête
de Marie Madeleine, la bien-aimée,
la belle aux longs cheveux*

*J*e suis descendue à la cuisine chercher une chandelle de plus afin de tenir tête à la nuit, qui sera longue. La maison s'est endormie. Je me sens désemparée. Écrire est un remède contre les troubles de l'âme. Tremper la plume, éviter une tache, faire sécher l'encre, ces gestes lents m'accompagnent en douceur.

Rogier est revenu ce soir. Je m'en serais réjouie, s'il ne m'avait pas remis une lettre, déposée pour moi à notre maison de Tours. J'ai d'abord cru qu'elle était de Charlotte. Non. J'ai craint ensuite qu'elle fût de Guillaume. Non plus. Je l'ai décachetée avec hésitation, intriguée par cette écriture inconnue... qui appartient à un certain Pierre du Queylat. À moins d'être son confesseur, son médecin ou son précepteur, un homme n'a guère de raisons d'envoyer une lettre à une jeune fille. M. Pierre du Queylat est passé outre. Si j'en crois ses allusions à notre rencontre, il s'agirait du rustaud au mauvais pourpoint, du voleur de robe, de l'agresseur nocturne qui m'importune depuis bientôt deux mois.

Je recopie ci-dessous les quelques lignes qu'il m'adresse et qui me laissent perplexe, partagée entre la méfiance d'un nouveau mensonge et l'embarras de l'avoir mal jugé.

Mademoiselle,
Je vous prie de faire bon accueil à ces simples mots :
J'ai été saisi en retrouvant à Tours la robe que vous portiez au bal de la cour.
Incomparable et unique, je ne pouvais la confondre avec aucune autre.
Séparée de vous, elle n'était plus qu'une étoffe sans âme...
Jamais elle ne sera si bien portée.

Jamais plus nos chemins ne se croiseront.

Sachez seulement que je me suis incliné devant elle, comme je l'aurais fait devant vous si notre rencontre n'avait été brusquement interrompue.

Pierre du Queylat, gentilhomme de verre

Quel toupet ! Il ne se justifie pas, ne demande pas pardon. En revanche, il me fait savoir qu'il est gentilhomme, et je ne sais ce que signifie cette qualité bien fragile qu'il associe à son nom. Il m'apprend que je ne le verrai plus. Grand bien me fasse ! Pourquoi m'écrit-il ? Pour me complimenter, sans doute. Il se dit saisi. Et moi donc ! N'ai-je pas été surprise, alarmée, affolée par son attitude et celle de ses compagnons ? Mais non, pas un mot de ce guet-apens ! Une étrange lettre, ma foi, qui ne dit rien, sauf qu'il s'en va. Une lettre d'adieu peut-être.

En tout cas, une lettre qui risque de m'attirer des ennuis.

Car la maisonnée au complet sait que je l'ai reçue. Et ma mère d'ici peu va s'enquérir de son auteur, de son contenu. Que devrais-je lui répondre ?

Je suis fatiguée. Je voudrais me distraire de tout cela. Les poèmes de Jean Marot, qui disent au cœur les choses les plus douces, seraient une excellente panacée. Hélas, notre bibliothèque est à Cormes. Une raison de plus pour retourner là-bas, pendant que l'été nous donne ses beaux jours et que l'odeur du foin sec flotte encore sur les champs.

23e jour de juillet

Ma mère croit que la lettre est de Guillaume. Je ne la détrompe pas et laisse le malentendu se prolonger. Me voyant pensive, elle me surveille, s'imagine déjà qu'il a su m'amadouer.

Un peu plus tard

Reinette est à l'origine de cette méprise. L'air de rien, elle a raconté à la fille de cuisine que Mlle Anne avait reçu une lettre de son amoureux et qu'elle n'avait pas l'intention de lui répondre. La fille a tout répété autour d'elle, en particulier à Marguerite, et la nouvelle a fait le tour de la maison. J'ai redit à haute voix que je ne donnerai aucune réponse à ce sinistre individu…! L'affaire est close. Je vais pouvoir penser à autre chose qu'à me marier.

24e jour de juillet

Je l'ai brûlée. J'ai brûlé la lettre et j'enferme mon cahier dans mon coffret.

*26ᵉ jour de juillet,
tôt le matin*

C'est ma fête aujourd'hui.

Sainte Anne, mère de Marie, est bien placée dans la hiérarchie du ciel pour intercéder en notre faveur auprès du Tout-Puissant. Ces jours derniers, je l'ai priée avec ferveur et suppliée de faire hâter notre départ. Elle m'a entendue. Tout est prêt. Demain soir, nous dormirons à Cormes. Rogier nous accompagne. Il a promis de nous raconter en chemin l'installation de Mariette à Tours. Je sais déjà qu'elle a vendu la robe dès son arrivée. Elle a bien fait, c'est ce que j'ai voulu, et pourtant cela me pince le cœur.

⚜

Cormes, 30ᵉ jour de juillet

J'écris dans la bibliothèque, à côté de la grande chambre, sous la lumière dorée et bleue filtrée par le verre de la fenêtre. Les livres autour de moi dégagent leur odeur particulière d'encre et de cuir. Les plus anciens, copiés à la main sur parchemin, sont posés à plat sur l'étagère haute. Les autres ont été imprimés. Moins précieux, ils sont rangés debout.

Je me sens bien. Je suis chez moi.

90

1er jour d'août

Je cache mon cahier. Cette demeure contient mille
recoins secrets, et je peux en changer chaque jour si
je veux. Hier dans la cheminée de la bibliothèque, inuti-
lisée jusqu'à l'automne ; demain dans les paniers de laine
brute, bien fermés à l'abri des mites… En tout cas, pas
dans ma chambre puisque c'est là que l'on viendra le
chercher.

4e jour d'août, à l'heure du berger

Un chargement de paille et de grain cahote sur le
chemin derrière le troupeau de moutons rentrant vers
la crèche. Au village, les greniers se remplissent. Rogier,
perché en haut d'un chariot à quatre roues, dirige les
opérations. Les hommes travaillent en silence pour
épargner leurs forces. C'est dur de hisser la paille au
bout d'une fourche. Avec Reinette et les jeunes filles du
village, nous leur portons les pichets de vin, le jambon
grillé et le pain frais. Ils sourient en voyant arriver le
repas et plaisantent, toujours un peu gaillardement, il
va sans dire. Et les filles, pour leur répondre, n'ont pas
leur langue dans leur poche ! Je m'amuse à les écouter.
Parfois nous rentrons, Reinette et moi, par la rivière où
nous cueillons du cresson vert en soulevant nos jupes

plus haut que le mollet. Si tentante est la fraîcheur de l'eau que nous nous sommes baignées hier, toutes nues, à l'abri des regards. C'était un instant de paradis. Comment pourrais-je m'attacher à un homme qui n'aimerait pas ce lieu, sa beauté et sa paix ?

6e jour d'août

L' armée du roi a atteint Grenoble au premier jour d'août.

Le curé me l'a appris ce matin alors que j'apportais un bouquet à l'autel de la Vierge Marie. Il est vraisemblable que l'avant-garde s'est engagée à l'assaut de la montagne. J'ai prié pour Antoine. Je suis sûre que ma mère y songe sans cesse.

7e jour d'août

*J*e dois avouer qu'il se passe en moi des choses incompréhensibles. Je regrette à présent d'avoir brûlé la lettre de M. du Queylat. En la relisant aujourd'hui, j'aurais peut-être vu si sa main a tremblé, s'il a hésité avant de choisir un mot. Je ne crois pas qu'il soit rustaud et c'est la dernière fois que j'emploie ce mot à son égard. Je ne cesse de m'interroger sur lui. La dernière phrase de sa lettre me poursuit : *Je me suis incliné devant elle comme je l'aurais fait devant vous si notre rencontre n'avait été brusquement interrompue.* Je l'imagine devant la boutique du fripier, saluant la robe sans souci des gens qui passent, indifférent aux regards qu'on lui jette... Il est vrai qu'étranger dans la ville, il n'a que faire du qu'en-dira-t-on. Comme j'envie cette liberté ! Il habite au loin, le pays de Toulouse, *et même au-delà*, a-t-il précisé. Il s'en est retourné là-bas. Qu'était-il venu faire sur les bords de Loire ? Repêcher une robe, capturer un miroir ? Il ne s'est pas gêné pour harponner la jeune fille en même temps que l'étoffe. Et la flèche, l'aurait-elle effleuré aussi ? Mon esprit se perd en suppositions ridicules ! J'ordonne à ma plume de cesser immédiatement ses extravagances.

9ᵉ jour d'août

*G*rand remue-ménage au manoir. Mon père est arrivé à la nuit sans crier gare. Rentré de Lyon à Paris, il a fui la capitale, tant l'air y est malsain. Il dit que les enfants meurent en grand nombre, emportés par les mauvaises fièvres dues à la chaleur de l'été. J'espère de tout mon cœur que Charlotte aura pu échapper à ces pestilences.

$\mathcal{J}$e m'explique mieux la mine renfrognée de mon père hier à son arrivée : à Tours comme à Paris, Guillaume Binet se moque ouvertement de « la petite Anne de Cormes qui se prend pour une duchesse » et refuse les beaux partis de la bourgeoisie. Le prétendant éconduit ne me pardonne pas cette blessure d'orgueil et se venge de la plus médiocre façon. Ce faisant, il ne fait qu'accroître la mauvaise opinion que j'ai de lui. Un séjour à la cour du roi, où les femmes choisissent qui elles veulent aimer, lui serait salutaire. Quel plaisir j'aurais à le voir rabroué par une belle devant laquelle il aurait gonflé le jabot et chanté son cocorico ! Le souci est que mon père n'apprécie pas la plaisanterie. Il tient à l'excellente réputation de la famille et me reproche d'attirer les regards sur nous.

– Si tu ne veux pas de ce Binet, nous te trouverons un Hurault, un de Thou, un Poncher, mais il faut te marier vite pour faire taire ces mauvaises langues qui nous portent ombrage !

Je le laisse parler sans le contredire. Je ploie les épaules et j'attends que l'orage s'éloigne.

12ᵉ jour d'août

Heureusement que mon cahier est caché. Pourvu qu'il le soit suffisamment ! Je sens que mes parents m'observent. Je croyais ma mère gagnée à ma cause. J'en doute à présent.

Mercredi, 15ᵉ jour d'août, fête de l'Assomption

Après la messe, nous avons mangé, bu et dansé sur la place de l'église. Pour la première fois depuis ma petite enfance, je n'ai pas vraiment participé à la fête. J'avais la tête ailleurs et la tristesse au cœur.

16ᵉ jour d'août

Mon père se repose, visite les champs, ausculte les arbres fruitiers et ne pense à rien d'autre. Je me fais la plus discrète possible.

18ᵉ jour d'août

Au cours d'une conversation dans la bibliothèque, alors que nous parlions de l'imprimerie et des nouvelles techniques qui transforment le monde, j'ai demandé nonchalamment à mon père ce qu'était un « gentilhomme de verre ».

– Tu t'intéresses à l'art de la verrerie ?

J'ai répondu par un vague geste de la main qui ne signifiait rien mais lui a suffi.

– Les gentilshommes de verre appartiennent à des dynasties de verriers, anoblis depuis longtemps. D'autres deviennent gentilshommes en exerçant ce métier noble, par privilège royal. Chaque atelier est dirigé par un maître qui possède ses secrets de fabrication. Pareillement, les maîtres des forges sont aussi des gentilshommes. Car vois-tu, le verre et le métal sont des matériaux nobles.

Il m'a expliqué longuement. À mesure qu'il parlait, je sentais croître mon émotion. Je découvrais que mon père possédait un grand savoir et surtout je réalisais que Pierre du Queylat n'était peut-être pas un voleur. Maître verrier plutôt, et fier de l'être. Peu à peu, j'entrevoyais une autre réalité. Il me revenait à l'esprit que c'était le petit miroir, et non la robe, qu'il avait réclamé d'un ton si impérieux ! Aurais-je cédé s'il l'avait demandé avec plus de douceur ? J'étais si coquette, si émerveillée par ce trésor...

Cependant, ces quelques éclaircissements ne me renseignent guère sur ses compagnons qui, eux, voulaient la robe coûte que coûte. Que d'incertitudes ! Je devrais oublier ce triste épisode. Il semble bien, hélas, que je n'y parvienne pas.

2*ve* jour d'août

*T*out à l'heure, avant l'angélus de midi, les cloches ont sonné à la volée. Impatients et enthousiastes, nous avons couru vers la place.

Hier, à Amboise, la reine Claude a accouché d'une petite fille nommée Louise. Le prénom de Madame mère ! Le roi François, là-bas aux portes de l'Italie, n'en est pas encore informé. Comme nous, il sera déçu. Le royaume tout entier espérait la naissance d'un fils de roi, le premier depuis si longtemps.

– À son retour de la guerre, le roi s'empressera de faire un dauphin à sa femme, nous a assuré le curé avant de nous renvoyer à nos occupations.

22*e* jour d'août

*I*ls sont passés ! Ils ont franchi les Alpes et ils sont vivants ! Griffonné à la hâte, transporté jusqu'en bas dans la besace d'un montagnard, ce message d'Antoine nous bouleverse. Ils ont déjoué la surveillance des Suisses en empruntant un col inaccessible, réservé jusqu'alors aux chasseurs ou aux colporteurs voyageant sur leur mule. Mais eux avaient des canons qu'il a fallu hisser à dos d'homme. Au-dessus des ravins, ils ont bâti des ponts avec des poutres et des cordages, ils ont fait passer les chevaux l'un derrière l'autre ; plus loin ils ont dû miner les rochers qui leur barraient la route. Antoine raconte aussi la faim et la soif, l'interdiction formelle de boire une seule goutte de vin, et puis les pluies torrentielles qui détrempent tout, alourdissent les charges, aggravent le danger. Mais il est si fier : le roi et le reste de l'armée vont marcher dans leurs pas le long de cette route héroïque, et les Suisses peuvent toujours attendre au col de Montgenèvre ou du Mont-Cenis !

23e jour d'août

Nous avons répandu la bonne nouvelle au village. Le curé reçoit aussi des informations. Il paraît que le treize du mois, le roi s'est engagé à son tour sur la voie tracée. L'avant-garde de l'armée, qui a une bonne semaine d'avance, descend vers le duché de Milan pour reconnaître les lignes ennemies. Les Suisses, ayant enfin compris leur erreur, dévalent des montagnes ; ils ont l'appui des Espagnols qui ne veulent pas des Français en Italie.

25e jour d'août

Mon père est reparti. Sa bonne humeur n'aura pas duré longtemps. Il prédit le pire et prétend que l'armée royale en Italie ressemble au tonneau des Danaïdes : un gouffre sans fin où se perdent les deniers de la France.

Juste avant d'enfourcher son cheval, il m'a déclaré d'un ton aigre que Charlotte Hurault était promise à Arnaud de Beaune. Je suis restée muette, écrasée par la surprise. Retirée à présent dans ma chambre, loin de tous les regards, je sens monter ma colère. Parce que mon père a attendu le dernier moment alors qu'il le savait depuis son arrivée, et que Charlotte n'a pas daigné m'en informer elle-même. Est-ce la vérité ou une simple rumeur ? Les Hurault sont très influents, les de Beaune plus encore, voilà de quoi exciter tous les commérages ! Charlotte, je t'en prie, fais-moi signe ! Tant que je n'aurai pas reçu confirmation de ta part, je n'accorderai aucun crédit à ce ragot.

28ᵉ jour d'août

*L*es grands travaux de l'été sont terminés. Le village est redevenu paisible et, après souper, nous causons sur la place jusqu'à la nuit tombée. Les progrès de l'armée en Italie sont au centre des conversations. Y aura-t-il, oui ou non, un affrontement ? Certains parient, d'autres jouent aux dés. Moi, j'enfouis ma tristesse en observant le bonheur de Reinette, qui est ici comme chez elle, et même beaucoup mieux. Elle s'est liée d'amitié avec la fille de la boulangère et disparaît le soir lorsque le berger ramène ses bêtes au son du flûtiau.

Je la taquine. Elle me répond qu'ils savent tous deux garder un troupeau et que le reste ne me regarde pas. Bien, je me tais.

1er jour de septembre

*L*e curé a fait sonner la cloche pour réunir les villageois. Il nous annonce que les trois corps d'armée se sont retrouvés à Novare, à vingt lieues de Milan, et qu'un immense territoire est déjà aux mains des Français. Si les pourparlers engagés avec les Suisses aboutissent, il n'y aura pas de bataille. Ma mère prie et espère. Moi aussi. Enfin, je fais de mon mieux.

3e jour de septembre

*R*einette me donne d'amples détails sur le troupeau de moutons : les plus beaux agneaux de l'année ne partent pas à la boucherie, mais sont vendus dans d'autres villages. Je commence à connaître Reinette. Elle a quelque chose à me demander et je ne sais pas encore quoi. Si elle attend une question de ma part, elle se trompe.

4e jour de septembre

*A*ucune nouvelle de Charlotte malgré les deux lettres que je lui ai adressées. J'espère qu'elle a quitté Paris. Sa tante ne serait pas insensée au point de la retenir en ville pendant les grandes chaleurs. Que Dieu la protège !

Pas de lettre non plus d'Italie.

6e jour de septembre

*L'*été meurt doucement. Nous cueillons des coings et les dernières framboises que nous cuisons dans du miel. Nous nous lécherons les doigts cet hiver.

8e jour de septembre, tard le soir

*R*einette s'est glissée derrière mes rideaux au moment où j'allais éteindre la chandelle. Elle m'annonce d'une voix qu'elle voudrait indifférente :

– Anne, Pierre le berger vend ses agneaux dans les villages des alentours ; il connaît tout à cinq ou six lieues à la ronde.

Elle n'en dit pas davantage. Je ne doute pas que ce berger lui fasse grand effet, mais de là à me réveiller au lit, je trouve qu'elle exagère.

– Et alors, Reinette? répliqué-je d'un ton sec.

– ... il va aller bientôt jusqu'au village de mes parents. Ce serait l'occasion que je leur rende visite.

Nous y voilà! Que veut-elle au juste? Retrouver sa famille ou passer la journée avec Pierre le berger?

– Reinette, je croyais que tu ne tenais pas à revoir tes parents.

– Oui, c'est ce que j'ai dit. Mais tu vois, maintenant, je sais que ma mère est près d'ici et ça me fait tout chaud dans le cœur!

Je hoche la tête. Elle continue:

– Tant pis si elle m'a flanqué une raclée que je méritais pas. Je veux la voir et l'embrasser, être sûre qu'elle est vivante.

Elle pleure dans mon oreiller. Je la laisse apaiser son chagrin. Les larmes nettoient si bien les vieilles blessures.

Elle relève la tête.

– Anne, je voudrais que tu viennes avec moi.

Me voyant sursauter, elle se hâte d'insister:

– Ne dis pas non! Écoute: j'arriverai avec une demoiselle bien mise et je dirai qu'elle est ma maîtresse, que je suis sa chambrière, alors ils seront tous épatés. Moi la bonne à rien, la moins que rien, tu vois un peu!

Cette fois, c'est moi qui fronce le nez pour retenir mes larmes. Elle me fixe avec intensité. Comment lui résister? J'accepte. Elle me serre dans ses bras à m'étouffer, et je me dis, tout en essayant de respirer, que Pierre le berger aurait sans doute préféré voyager avec la chambrière sans la maîtresse, ce que ma mère n'aurait jamais permis.

Une fois que Reinette m'a rendu ma liberté, je réussis à prononcer trois mots pour lui signaler que nous devons d'abord obtenir l'autorisation. Tout en refermant la porte, elle me fait un signe désinvolte de la main, comme si l'affaire était conclue, et je l'entends chantonner en se mettant au lit.

9ᵉ jour de septembre

Ma mère n'émet aucune objection, à condition que Rogier nous accompagne et conduise l'attelage. Cela signifie que les agneaux et le berger voyageront dans la charrette avec nous. Reinette trépigne de joie à l'idée d'arriver chez elle conduite par un cocher, et non à pied comme les pauvres gens de son village.

Cette entrée triomphale aura lieu dans quelques jours, lorsque le troupeau sera trié.

10ᵉ jour de septembre

Il pleut. Je couds, je lis, j'inspecte les livres de comptes tenus par l'intendant. Je pleure un peu aussi. Charlotte est muette. J'en prends mon parti, mais je pense à elle tous les jours.

12ᵉ jour de septembre

Marguerite, en ouvrant le volet, m'apprend que le roi François a aujourd'hui vingt et un ans. Une vieille nonne, là-bas en Italie, lui a prédit qu'il serait duc de Milan sans une goutte de sang versée. En attendant la victoire, les soldats de l'armée française manquent de nourriture car les Suisses ont ravagé le pays. Ici, au village, on ne s'inquiète guère.

– La faim au ventre fait moins de mal qu'un coup d'arquebuse, marmonnent les vieux assis sous le porche de l'église.

15ᵉ jour de septembre

Ils se sont battus et ils ont gagné ! Ça s'est passé hier ! La cloche sonne. Des cavaliers hors d'haleine arrivent de partout. Le mot « victoire » chante dans toutes les oreilles.

Nous avons lancé des vivats, des hourras, et l'intendant a fait ouvrir un tonneau pour fêter ce grand événement.

Mais nous ne savons rien de plus ! Certains s'inquiètent des blessés et des prisonniers ; d'autres affirment que la bataille a été brève et la victoire fulgurante.

16e jour de septembre

Reinette avait l'air contrariée en apprêtant le jupon de laine que je compte porter demain. Elle aurait voulu que je me mette plus à mon avantage afin d'éblouir les gens de son village. La mignonne n'imagine pas que je vais passer la journée vêtue d'une robe de bal ! D'ailleurs, rien que le mot « robe de bal » me donne mal au cœur.

Malgré ses minauderies, ses mimiques navrées, je n'ai pas cédé. Pour la tranquilliser, je lui ai offert un joli ruban qu'elle accrochera à son bonnet. La voilà satisfaite, et je pourrai m'habiller à ma guise.

18e jour de septembre, au petit matin

Depuis hier, je porte à l'intérieur de moi une sorte de fêlure, comme si un verre fragile avait pris place dans ma poitrine.

Comment vais-je refermer cette faille ? Comment échapper à mes émotions contradictoires ? Je cherche les mots les plus justes pour décrire, sans rien omettre, les événements incroyables qui ont marqué ce dix-septième jour de septembre.

À midi sonnant, nous sommes arrivés sur la place d'un humble village au milieu des bois. Bien vite, des curieux se sont attroupés autour de la charrette. Assise à côté de moi, serrée contre moi, Reinette ne disait rien. Le cœur battant, elle espérait que quelqu'un la reconnaîtrait. Mais les villageois méfiants ne s'adressaient qu'au berger :

– Tu nous as amené du monde ! Laquelle est ta fiancée ?

J'aurais pu me vexer. Il est vrai que mon vieux jupon ne me permettait guère de jouer à la princesse. Peut-être une fille de marchand, sûrement pas une paysanne ; c'est ce qu'ils ont vite remarqué, sans oser m'interpeller. Alors, Reinette s'est dressée.

– C'est la demoiselle de Cormes ! Je suis sa chambrière, a-t-elle ajouté, avant de se rasseoir au plus vite.

Interdits, les gens ont salué avec gêne. La situation devenait embarrassante.

Voyant le curé s'avancer, j'ai sauté à terre, entraînant Reinette avec moi. Quelques paroles ont suffi à dénouer l'affaire et Reinette a reçu l'accueil qu'elle souhaitait. Certains ouvraient les bras, d'autres souriaient et joignaient les mains. En peu de temps, l'annonce de son retour s'est répandue à travers les ruelles, si bien que ses parents ont fini par accourir. De pauvres gens, abîmés par le travail et la misère. Devant leur fille si proprement vêtue, si bien entourée, ils n'osaient croire au miracle. Sa mère balbutiait, les bras ballants :

– J'pensais bien que t'étais partie à la ville. J'avais peur que tu sois sur le trottoir ou placée comme fille des bains, qui se déshabille pour plaire aux hommes. Alors tu vois, je voulais pas savoir.

J'ai fait signe à Reinette de monter avec eux dans la charrette. Rogier a cédé les rênes à Pierre le berger, et les voilà partis pour un tour du village. Rogier a juste eu le temps d'attraper un des paniers de provisions, que nous avons déballé un peu plus tard chez le curé. Nous avions tout prévu pour que Reinette, de son côté, puisse festoyer avec sa famille.

Le dîner avec le curé fut très ennuyeux. J'avais peine à retenir mes bâillements et j'ai vite laissé Rogier supporter seul le bavardage de notre hôte. Dehors, le bruit de la rivière faisait une si jolie chanson ! Je me suis installée sur la berge, assise sur un gros rondin, les pieds au ras de l'eau. Un peu en amont, des hommes pelletaient du sable sous les ordres d'un autre qui fermait les tonneaux une fois remplis. Ensuite, ils les roulaient à deux jusqu'à un solide chariot stationné plus haut. Combien de temps suis-je restée à rêvasser, à les observer de loin ? À quel moment le nuage qui me brouillait l'esprit s'est-il dissipé ?

Les paroles de mon père, me précisant que le verre était fabriqué avec du sable de rivière et de la cendre de fougère, sont remontées à ma mémoire. Sans doute avais-je devant moi des verriers. J'ignorais qu'il y eût des ateliers de verrerie en Touraine... Je les ai observés plus attentivement, je me suis même avancée pour mieux voir. C'est là que je l'ai reconnu. Ou plutôt, sa voix est venue jusqu'à moi. Rude comme du métal, avec un accent d'ailleurs.

Et combien de temps m'a-t-il fallu pour décider de ne pas fuir ? Je suis restée. Je ne voulais pas me défiler. Je voulais savoir. Pierre du Queylat n'était pas retourné en son pays de Toulouse. Il fabriquait du verre ici, au nord de la Loire. Encore un mensonge ? Peut-être que non. J'ai accepté de ne rien comprendre, de ne plus juger. Il était là, à cinquante pas, et il travaillait. Il recueillait le sable le plus pur pour fabriquer le verre le plus transparent. C'est ce que mon père m'avait appris. Je me suis levée. Je me suis approchée encore. Il était vêtu avec la même simplicité que la première fois. À croire qu'il ne possède qu'un seul costume...

Dans ma tête – dans ma tête, vraiment ? –, tout allait très vite. La voix qui pointait le danger s'était enfin tue ; une autre me disait que, sans la robe, je n'avais aucune raison d'avoir peur.

Me voyant tout près, les hommes avaient interrompu leur ouvrage et prenaient du repos, le bras appuyé sur le manche de la pelle.

– Monsieur, je vous salue... Je crois que nous devons nous expliquer, ai-je dit d'un ton mal assuré.

– Que me voulez-vous ?

Le ton était sec, impatient. J'ai failli faire demi-tour.

Sans la robe, il ne te reconnaît pas ! répétait la petite voix.

Bien sûr, puisqu'il n'avait regardé que la robe ! Et la lettre ? Il l'avait bien adressée à quelqu'un ! Je n'avais plus ni la robe ni la lettre. Quelle imbécile j'étais !

Aussitôt, je me suis ressaisie : Allons, allons ; l'habit ne fait pas le moine, et que voudrais-tu faire avec la lettre ? La lui brandir sous le nez ? Ridicule !

Alors, j'ai dit simplement :

– Vous m'avez écrit, il y a quelque temps. Je vous en remercie.

Il a plissé le front, m'a dévisagée un moment, avant de sourire enfin :

– Autrement vêtue... C'est bien vous, cependant ! Sans cette robe magnifique et imposante... dont vous vous êtes séparée.

– Elle me rappelait un moment pénible.

Il fronce le sourcil, qu'il a fort brun, comme ses yeux, et s'exclame d'une voix contenue :

– Vous ne pouvez pas comprendre !

– Bien sûr que si. C'est vous qui ne voulez pas m'expliquer !

La colère me donnait de l'audace. Surpris, M. du Queylat m'a invitée à faire quelques pas à l'écart des ouvriers.

– Alors, écoutez : le verre est une matière magique, lumineuse, enchanteresse. Le verre naît dans le feu, comme le métal. Fabriquer du verre est un don des dieux, et chaque maître verrier cherche la perfection. Les plus doués sont installés à Venise, sur l'île de Murano exactement. Ils ont découvert le secret du verre cristallin. Une matière invisible, vous vous rendez compte ! Je suis allé là-bas, en Italie. Je me suis enrôlé dans l'armée exprès pour cela. J'ai réussi à me glisser dans un atelier de Murano, mais rien ne filtre de leurs trouvailles. Celui qui les révèle est puni de mort. Malheur aussi à celui qui les cherche avec trop d'avidité ! Je suis parti à temps, amer et désespéré, et voilà qu'en remontant vers le nord, je tombe sur une robe où s'accroche un miroir en verre de Venise. Très vite, je la perds... pour la retrouver sur vous, un soir de fête au château d'Amboise. Bouleversé par cette découverte, j'ai été pressant et brutal. Je vous prie de bien vouloir... oublier cette maladresse.

Maladresse ! Le mot est faible pour désigner une conduite inqualifiable, indigne d'un gentilhomme ! Je rétorque :

– Et vos complices qui se sont jetés sur moi derrière le pilier de la galerie, ne me dites pas qu'ils cherchaient aussi le verre de Venise !

Il paraît interloqué.

– Ces hommes ne sont pas mes complices. Ils n'ont reçu de moi aucun ordre, certainement pas celui d'attaquer une jeune fille ! Je les ai rencontrés en route. Comme moi, ils revenaient d'Italie ; ils avaient raflé la robe dans un pillage et se vantaient de sa valeur. Lorsque j'ai vu le miroir de Venise, je me suis juré de l'obtenir pour tenter de percer son mystère, de comprendre ce que contient cette matière éblouissante.

– Coûte que coûte ?

– Presque !

Grand Dieu, cette voix, à la fois sévère et ardente ! Je me tais, afin qu'il poursuive. Ce qu'il fait après un long moment car il est plutôt avare de ses mots, sauf lorsqu'il parle du verre.

– J'ai joué la robe aux dés à la taverne, au cours d'une soirée bien arrosée, et j'ai gagné parce qu'ils buvaient plus que moi, qui les régalais.

Au bord de l'eau, les ouvriers verriers s'étaient remis au travail. Je devais faire vite !

– Et la charrette de Reinette, la chiffonnière ? Qui l'a cachée dedans ?

– C'est moi. Le lendemain, lorsqu'ils se sont réveillés, ils étaient fous furieux. À deux contre un, ils allaient me reprendre mon trésor. Empaqueté dans la robe, au milieu des fripes, le miroir ne risquait rien.

Il s'éloigne d'un pas. Il lui tarde de rejoindre ses compagnons.

– Monsieur, je vous en prie, encore une question !

Il incline la tête de façon brusque, tel un arbre qui ne veut pas plier.

– Le soir du bal à Amboise, le miroir s'est cassé. Et après, que s'est-il passé ?

– J'ai donné une sérieuse raclée à ces ruffians qui vous cherchaient noise.

L'incrédulité doit se lire sur mon visage, car il ajoute :

– Si bien que le capitaine de la garde royale nous a mis aux fers.

/ / /

Je reste bouche bée, et ça le fait rire.

— Soyez sans crainte : mes excellentes relations avec M. de Lautrec m'ont permis de sortir de geôle dès le lendemain.

Cette fois, mon étonnement est à son comble. M. de Lautrec, celui qui commande le premier corps d'armée, celui que connaît mon père et qui dirige Antoine ! Comment se fait-il que M. du Queylat et lui soient amis ?

Je n'ai pas eu la réponse. Je n'aurai pas la réponse. Il s'est incliné, avec un mélange de raideur et d'élégance.

— Permettez que je reprenne mon ouvrage !

Je balbutie encore :

— Et votre trésor de verre ? Comment vous consolez-vous de l'avoir perdu ?

— Secret de maître verrier ! a-t-il répondu avec un éclat dans son œil noir, avant de se s'éloigner pour de bon.

Voilà comment l'entrevue s'est achevée. Ensuite, ensuite, je ne sais plus. Demain, je rassemblerai mes idées. Demain mon cœur sera plus calme.

19ᵉ jour de septembre

Pillée, donc volée, gagnée aux dés, pariée aux courses, convoitée, revendue... Grand Dieu, quel destin ! Et maintenant où est-elle ? Qui la porte ?

Plus tard, ce même jour

Et lui, pourquoi est-il venu à Tours ? Pourquoi n'a-t-il pas quitté la Touraine ?

Plus tard encore, à la nuit tombante

Y a-t-il des verreries au nord de la Loire ? Oui, manifestement. Comment savoir où, sans éveiller de soupçons ?

20e jour de septembre

J'ai toussé toute la nuit. Ma mère m'oblige à rester au lit et me pose sur la poitrine des emplâtres à la graine de moutarde afin d'expulser le mal. Plusieurs fois par jour, je dois ingurgiter une tisane pectorale : un mélange d'anis, réglisse, thym et bouillon-blanc concocté avec patience par Marguerite. Le miel de Cormes, dont j'use avec excès, adoucit le goût de cette mixture.

Reinette me rend visite. Elle me raconte la journée dans sa famille, son émotion de revoir ses parents et son soulagement de ne plus habiter avec eux.

– C'est grâce à toi que j'ai une vie plus douce ! chuchote-t-elle en posant sa tête sur mon oreiller.

Quelle chance j'ai eu de me faire arroser par cette pisse de cheval !

Et moi ? Était-ce aussi mon jour de chance, ce douzième d'avril ?

21e jour de septembre

Je me suis levée. Je voulais voir l'intendant. J'ai prétexté quelques questions à lui poser sur le livre de comptes, dont je ne me soucie guère en vérité. Ce que je voulais savoir concernait davantage le sable de rivière et les ateliers de verrerie. Lui qui connaît bien les environs m'a affirmé que les plus connus se situaient vers le nord, dans les forêts de Vendôme.

– Vous pensez que nous pourrions établir une verrerie sur le domaine ? me demande-t-il avec le plus grand sérieux. C'est un métier en plein développement. À présent, tout le monde veut du verre à ses fenêtres, même les petites gens.

Il ne saura jamais que je lui aurais volontiers sauté au cou pour la merveilleuse idée qu'il vient de me donner. Bien sûr, installer une verrerie à Cormes, du moins en parler, s'y intéresser et donc visiter des verreries...

22e jour de septembre

Je m'attache à ce projet de verrerie et je retiens ma toux pour que ma mère me laisse fouiller la bibliothèque à la recherche de renseignements. Je n'ai rien trouvé sur le sujet, mais cette matinée parmi les livres a été fort instructive : je viens de feuilleter un petit ouvrage intitulé *Mundus Novus* qui raconte les nouvelles découvertes au-delà des mers. Le monde est de plus en plus grand. Et j'apprends tout cela sans bouger de chez moi, en soulevant seulement la reliure de cuir qui protège les pages !

Après midi

Le roi François a envoyé d'Italie une longue lettre que Madame sa mère a fait publier à travers le royaume et nous en avons eu lecture après l'angélus : la bataille a eu lieu à Marignan le treize et le quatorze de ce mois. Deux jours et une nuit *le cul sur la selle et la lance au poing, sans boire ni manger*, écrit le roi. Dès cinq heures le premier jour, on n'y voyait plus rien à cause de la poussière et de la fumée des explosions. Les canons tiraient au hasard. Malgré tout, les combats ont continué une partie de la nuit. À l'aube, l'armée française s'est rassemblée vaillamment et, avec le soleil levant, des renforts sont arrivés de Venise. D'abord des cavaliers puis des gens de pied qui ont permis la victoire. Avant midi, les Suisses ont sonné la retraire et le roi François a interdit de les pourchasser.

Ils sont partis, emportant leurs blessés sur leur dos.

Le forgeron, qui s'y connaît en armes, nous a tenu un discours sur les piques et les vouges, des lames montées sur de longs manches que les Suisses tiennent à bout de bras. Ma mère a préféré rentrer. Moi, je suis restée à boire et à chanter avec Reinette et Pierre le berger, qui profitaient de la liesse pour se tenir furtivement la main.

24e jour de septembre

Des rumeurs circulent à n'en plus finir. Chacun prétend qu'il détient les nouvelles les plus fiables. Le tableau est moins glorieux qu'il y a quelques jours : la cavalerie a beaucoup souffert ; les Suisses tuaient les hommes tombés à terre. Ma mère se rassure en répétant qu'Antoine était dans l'infanterie. Pauvre mère qui craint pour son fils ! Moi, je suis sûre qu'il est vivant.

25e jour de septembre

Il fait froid. Je réchauffe mes doigts sur le bol de tisane pectorale, que Marguerite s'acharne à me servir avant chaque repas.

Malgré les rires de Reinette et la gentillesse de Rogier, l'ambiance s'alourdit de jour en jour. Ma mère a le visage fermé d'une femme rongée par l'inquiétude. Elle veut rentrer à Tours au plus vite afin d'être mieux informée sur les victimes et le sort des blessés. Nous attendons la Saint-Michel et le paiement des redevances puis nous partirons.

À Tours, je verrai Mariette, j'aurai des nouvelles de Charlotte, mais je serai éloignée des verreries... Je réfléchis déjà à une habile tactique qui me permettrait de revenir bientôt.

21e jour de janvier

*A*ntoine me sourit de son œil droit. Il n'a plus que celui-là. L'autre est mort à Marignan en même temps que son bras, d'un tir d'arquebuse, ou de deux, ou peut-être d'un coup de hallebarde... Il ne le sait pas, tant la fumée des canons était épaisse sur le champ de bataille.

À la suite de cette victoire qui soulève l'enthousiasme dans le royaume, le roi de France a été déclaré duc de Milan, de Parme et de Plaisance, et il a effectué un voyage triomphal à travers ses nouvelles possessions. Je m'en réjouis moins depuis que j'en connais le prix. Il y a eu dix mille morts du côté français. Le frère du connétable de Bourbon y a laissé la vie, le jeune comte de Talmont a succombé à plus de soixante coups de pique.

Antoine a été sauvé par un soldat courageux qui est descendu le repêcher dans un fossé rempli d'eau rouge où il s'enfonçait. Il a survécu à ses blessures. Jusqu'en décembre, personne n'a su en France ce qu'il en était des moribonds et des amputés entassés dans les hôpitaux italiens. Pendant cette sombre période, ma mère s'est battue de toutes ses forces pour retrouver son fils disparu tout en soignant sa fille, minée par une méchante fièvre qui lui rongeait la poitrine.

Nous étions à peine rentrées à Tours que je suis tombée vraiment malade. La toux que j'avais contractée à Cormes s'est transformée en effroyable catarrhe. J'ai passé des semaines au lit, la tête douloureuse et le souffle court.

Dès que j'ai été remise, nous sommes parties à la recherche d'Antoine. Ma mère affirmait qu'elle fouillerait tous les hôpitaux avant d'accepter sa mort. En arrivant à Lyon, où nous a rejointes mon père, nous avons eu enfin des nouvelles. La ville est peuplée d'Italiens, pour la plupart des connaissances de Françoise Portia et de son mari. Nous avons logé chez les Albizzi, non loin de l'hôtel-Dieu où font escale ceux qui rentrent de la guerre, exhibant leurs blessures et leurs moignons. Des listes des survivants circulaient. Nous avons su qu'Antoine était soigné chez les sœurs de Milan. Je n'oublierai pas le visage de ma mère lorsqu'elle a pu parler à des gens qui avaient rencontré son fils. Elle était prête à passer la montagne alors que l'automne s'avançait !

Nous l'en avons dissuadée. Auguste Portia, de retour de Florence, a fait un détour par Milan pour nous le ramener. Antoine est arrivé à Lyon peu avant Noël. Lorsque je l'ai vu entrer dans la salle, le visage balafré et un bras immobile, j'ai repensé au jeune homme fringant qui avait quitté Cormes dix mois plus tôt, et que j'enviais d'aller découvrir l'Italie...

Nous n'avons regagné Tours qu'à la mi-janvier. Au même moment, le roi retrouvait en Provence sa mère et son épouse, folles de joie d'embrasser leur César adoré ! J'imagine sans peine la remontée triomphale vers Paris ainsi que l'impatience des habitants d'Amboise qui attendent le retour du souverain auréolé de gloire.

Un peu plus tard,
ce même jour

*P*resque quatre mois sans écrire ! Tant de moments vécus que ces pages n'abriteront jamais ! Mon plus précieux secret a résisté à ce long silence et mérite bien d'être dévoilé. Le temps que je m'échauffe la main et que je reprenne confiance, car j'ai l'impression que mon cahier ne m'appartient plus tout à fait.

Pour faire diversion, parlons d'abord de Charlotte : amicale et inquiète, elle est venue m'assister pendant ma maladie. J'étais si heureuse de la revoir, si affaiblie aussi, que je ne lui ai fait aucun reproche. Et, comme je ne pouvais parler sans que la toux me déchire la poitrine, je l'ai surtout écoutée.

— Mon penchant pour Arnaud de Beaune n'a guère duré plus d'un mois, m'a-t-elle confié avec une petite grimace de dépit. À Amboise, dans l'ambiance de la fête, nous avions échangé quelques baisers. J'espérais le revoir à Paris, qui m'a paru une ville misérable et sale... surtout lorsque j'ai découvert qu'il faisait la cour à Jeanne de la Motte. Cela m'a contrariée ! Je suis pourtant aussi riche, et pas moins jolie, n'est-ce pas ?

Elle a souri du coin de l'œil en me voyant hocher la tête et retenir ma toux.

— En fait, a-t-elle conclu, je me suis vite consolée auprès de mes cousins, à Cheverny où nous avons festoyé tous les soirs jusqu'à la Saint-Augustin ! Parmi ces jeunes gens, il y avait Philippe de Poncher qui dansait la gaillarde à la perfection.

La gaillarde ! Je me suis redressée tant bien que mal sur mes oreillers. Le mot me rappelait le bal d'Amboise et m'entraînait vers un autre souvenir, plus récent et plus doux, chez Reinette au bord de la rivière. Le souvenir d'un moment trop bref qui continue de m'émouvoir.

Charlotte s'apprêtait à partir. J'aurais aimé lui livrer à mon tour quelques mots de ces mois d'été à Cormes. Le souffle me manquait et ce que je voulais révéler était très fragile, très précieux. Mieux valait attendre.

22ᵉ jour de janvier, jour de la Saint-Vincent

*C'*est le jour des anguilles. Celles de la Saint-Vincent sont les meilleures de l'année. En brochettes, en brouet ou à la sauce verte, chaque famille cuisine sa recette. Nous avons donc mangé des anguilles au dîner, même Mariette qui ne devrait pas faire si bonne chère, vu qu'elle est à son terme.

Elle a le ventre si proéminent que l'on s'attend sans cesse à la voir plonger en avant. Cela ne l'empêche pas de rester vaillante et enjouée. Elle habite avec son mari une chambre bien arrangée au-dessus de l'écurie, où attendent le berceau de l'enfant et la pile de langes proprement pliés sur l'étagère.

– Tu vois, il ne manquera de rien, dit-elle fièrement. C'est grâce à ta mère. Et à toi aussi !

Je lui souris. Oui, le paquet qu'elle a rapporté d'Amboise contenait un beau cadeau. Mais, si c'était à refaire, je lui offrirais autre chose.

Elle insiste, croyant me faire plaisir :

– Quand je lui ai montré la robe, le fripier n'en croyait pas ses yeux. J'ai dû lui expliquer d'où elle venait, sans quoi il m'aurait prise pour une voleuse ! Tu sais, deux jours après, elle n'y était plus. Je n'ai pas osé demander qui l'avait achetée.

Oh, Mariette, tu aurais dû ! Je voudrais tant savoir ! Et même davantage : j'aimerais la remettre, rien qu'une fois, pour effacer à jamais le souvenir de cette soirée de bal semée de malentendus.

24ᵉ jour de janvier

Reinette s'adresse à Antoine avec déférence. Dame ! Il s'agit d'un rescapé de Marignan, l'un des valeureux artisans de la victoire. Face à tant d'admiration, Antoine répond que les héros sont surtout le seigneur de La Palice, et Pierre de Bayard qui a eu l'honneur d'armer le roi chevalier à la fin des combats.

– Cependant, explique-t-il, leur bravoure n'aurait servi à rien sans l'artillerie du sire de Genouillac. Nos canons sont les meilleurs d'Europe. D'ailleurs, les Suisses ont tout tenté pour nous les prendre.

Il se lance dans un discours que j'écoute patiemment.

– Et M. de Lautrec ?

Il paraît surpris que je me préoccupe de ce grand homme. Il s'étonnerait encore davantage s'il savait que je m'intéresse aussi à la verrerie.

– Odet de Foix, vicomte de Lautrec. Nous l'appelons « le grand capitaine ». Il donnerait sa vie pour le roi ! Avant l'Italie, il a bataillé des années en Guyenne et en Navarre.

Je savoure en silence : ces noms me ramènent vers le pays de Toulouse, qui est celui de Pierre du Queylat. Un pays de fruits mûrs, de roches dures, de vins forts et de soleil ardent. Suis-je loin de la vérité ?

27ᵉ jour de janvier

Depuis que nous avons retrouvé Antoine, rien n'est plus pareil. Le spectacle de la mort l'a assagi. Nous parlons, lui et moi, avec plus de facilité qu'autrefois. Sa présence tranquille m'oblige à me comporter différemment. Je le regarde lire de son œil valide, tenant le livre de la main droite tandis que la gauche repose inerte sur ses genoux. À d'autres moments, il étire avec bonheur ses deux jambes – sachant que tant de soldats sont revenus à cloche-pied –, et il sort se promener sur les bords de la Loire. Il est rentré récemment avec un chiot affamé qu'il a décidé d'adopter. Jamais auparavant, il n'aurait eu la moindre considération pour un animal abandonné.

*28ᵉ jour de janvier, fête
de la Saint-Thomas-d'Aquin*

Mariette voulait un petit gars. Elle a accouché dans la nuit, non pas d'un mais de deux garçons braillards. Nous l'avons encouragée et assistée jusqu'à la naissance. La sage-femme, prévenue au plus tôt, a si bien œuvré que la mère et les bébés sont ce matin hors de danger. Ma mère et Marguerite sont sorties faire des achats. Il faut un autre berceau, du linge supplémentaire et une nourrice si Mariette ne peut allaiter les deux. Tout cela coûte cher. Heureusement que ma mère a pris Mariette sous son aile !

30e jour de janvier

*L*e soir et le matin, trois nourrissons tètent dans la cuisine : ceux de Mariette et celui de la nourrice qui a trop de lait pour le sien et allaite un des deux petits à tour de rôle. La cuisinière ne sait plus où donner de la tête, d'autant qu'il faut prévoir des remontants pour les jeunes mères ! Elle prépare toutes sortes de douceurs, dont je profite également.

2e jour de février, fête de la Chandeleur

*G*rand Dieu, quelle découverte ! Antoine a dans sa chambre une petite collection de verres de Venise, dont un minuscule miroir de la même taille que le mien. Sans doute un ornement de ceinture, dans le goût italien que je connais désormais. C'est en lui portant une chandelle et une crêpe, selon la tradition du jour, que j'ai aperçu ce trésor. Antoine n'était pas là ; je n'ai pas résisté à l'envie de prendre le miroir dans ma main, de le palper, de l'examiner.

Je ne tiens pas en place. J'attends que mon frère revienne pour en savoir davantage.

Un peu plus tard, ce même jour

Je me sens comme un oiseau pris dans la glu, le cœur battant, les pattes et les ailes collées à la branche. Oui, je suis engluée dans mes cachotteries, mes petits mystères, alors que tout est simple : je veux retourner à Cormes ; je veux visiter les verreries du Vendômois, revoir Pierre du Queylat et lui porter en cadeau l'un de ces verres cristallins.

S'il est reparti chez lui ou s'il est insensible à mon geste, alors je ferai comme Charlotte, je me divertirai avec mes cousins, avec mon frère que je commence à aimer, et j'abandonnerai ce cahier qui gardera dans ses pages le récit d'une rencontre sans lendemain.

Au contraire, s'il est là et qu'il ne me rejette pas, je crois que je continuerai d'écrire jusqu'à ce que mon cœur sache vraiment s'il peut s'engager.

Je prie saint Valentin de m'inspirer un stratagème me permettant de passer la fin de l'hiver à Cormes, et je suis prête à multiplier les chances en invoquant aussi Vénus, la déesse antique de l'Amour, que chantent les poètes d'aujourd'hui.

En tout cas, je connais une personne prête à me soutenir dans cette entreprise ; c'est Reinette, qui a laissé làbas son berger, avec la promesse de revenir bientôt.

Très tard, entre le soir et l'aube

*L*a cloche sonne dans la nuit froide et les moines, pieds nus dans leurs sandales, affrontent les couloirs glacés pour aller prier. Pelotonnée dans mon lit, je souffle sur mes doigts engourdis qui refusent de tenir la plume. J'ai passé un long moment avec Antoine, à alimenter son brasero sans me préoccuper du mien.

– Grand dieu, Antoine, comment t'es-tu emparé de ces merveilles ? Je croyais que les Italiens cachaient leur verre cristallin !

– C'est la recette qu'ils gardent secrète ! Quant aux objets, ils en sont fiers et les vendent fort cher, trop cher pour un soldat comme moi.

– Alors, comment as-tu fait ?

– Rien. Lorsque j'ai été transporté de Marignan jusqu'à l'hôpital de Milan, on m'a couché dans un lit propre – enfin ! – sous lequel il y avait une besace que la sœur soignante a prise pour la mienne. Au bout de plusieurs jours, la fièvre et la douleur devenant moins fortes, j'ai ouvert le paquet et j'ai découvert ces objets. Celui qui les possédait n'était pas venu les réclamer. Peut-être était-il mort...

– À ton avis, où les avait-il trouvés ?

– Butin de pillage, déclare-t-il laconiquement.

Je prends mon courage à deux mains. Cela fait des heures que je tourne ma demande dans ma tête.

– Antoine, s'il te plaît, me donnerais-tu le petit miroir ?

Avant qu'il ne réponde, son visage dit déjà non.

– Je comptais l'offrir un jour à une femme et je n'avais pas envisagé que ce fût toi.

– Écoute, ce n'est pas un caprice de jeune fille gâtée. Pour ne rien te cacher, je voudrais l'offrir à quelqu'un... quelqu'un qui n'est pas une femme.

Il retient un geste de surprise. Au point où j'en suis, j'ai intérêt à tout lui raconter, ce que je fais avec moult détails, y compris la demande en mariage de Guillaume Binet.

– Je vois que ta vie a été presque aussi palpitante que la mienne ! s'exclame-t-il après m'avoir écoutée jusqu'au bout.

Et il n'ajoute rien ! Ma dignité m'interdit d'insister. Je m'apprête à quitter silencieusement la chambre lorsqu'il se tourne vers moi.

– J'ai beaucoup à y perdre. Que pourrai-je y gagner ?

– Je t'emmène à Cormes, Antoine, où tu regagnes l'estime de tous par tes blessures, et par ton attitude si différente de celle d'hier. Tu deviens un gentilhomme de guerre au lieu de l'odieux fripon parti en mai dernier.

– Comme tu es dure ! Mais admettons que je l'aie mérité. Et toi, tu retrouves ton gentilhomme de verre !

Tu es finette, Annette ! J'aime bien ça ! Néanmoins, je ne possède qu'un seul miroir italien. Et qui me dit que ce Pierre de... n'est pas un vaurien de la pire espèce ?

– Eh bien, allons le voir ensemble. Je t'en prie, laisse-moi seulement lui montrer le miroir ! Pendant ce temps, tu affineras ton jugement.

Il a accepté ! Sans se moquer de mon histoire de cœur. Je l'ai remercié avec ferveur.

Son cœur, lui, a bien changé au contact de la guerre, et je souhaite qu'une femme puisse l'aimer un jour, malgré sa vilaine blessure.

⚜

4ᵉ jour de février

Ma mère envisage de retourner à Amboise le mois prochain afin de ne pas manquer le roi qui a annoncé son prochain retour en val de Loire. Je laisse à Antoine le soin de la persuader qu'un petit séjour à Cormes lui serait bénéfique. Il pourrait monter à cheval et chasser un peu, bien que le tir à l'arc, qu'il pratiquait fort bien, lui soit désormais impossible.

Persuadée de notre réussite, Reinette époussette les coffres de voyage. Moi, j'essaie de cacher la fébrilité qui me gagne en chantonnant des berceuses aux bébés de Mariette.

6ᵉ jour de février, premier jour du carême

J'ai bien fait de reprendre hier de la tarte aux figues car nous entrons aujourd'hui dans une longue période d'abstinence. Seuls les poissons et tous les mets sans chair demeurent autorisés jusqu'à Pâques.

8ᵉ jour de février

Ma mère s'est laissé convaincre ! Elle n'a jamais su résister aux désirs d'Antoine. Et maintenant qu'il est considéré comme un héros de guerre, elle se mettrait en quatre pour le satisfaire.

11ᵉ jour de février

Le bagage est prêt. J'ai embrassé Mariette, accaparée par ses poupons. Nous partons demain au lever du jour. Suivant les instructions, l'intendant a fait allumer de grands feux pour réchauffer les vieux murs et les lits seront bassinés à notre arrivée.

Cormes, 14e jour de février,
fête de la Saint-Valentin

Nous sommes à présent certains qu'il existe une verrerie dans la forêt de Fréteval, sur les bords du Loir. C'est la plus réputée du pays, et c'est par celle-ci que nous commencerons. Après un moment de réticence face à Antoine, notre intendant semble intéressé et projette même de nous accompagner. Hélas, le temps s'est déclaré contre nous ! Pluie et bourrasques cognent contre le verre de nos fenêtres. En attendant, je me pare le cœur et je supplie saint Valentin d'entendre ma demande.

16e jour de février

Il fait froid. Ma mère me répète que j'ai la poitrine fragile et m'interdit de mettre le nez dehors.

17e jour de février

Lorsque Antoine est entré dans l'église, toutes les têtes se sont retournées. Les villageois savaient qu'il était au manoir et les ragots circulaient bon train. Comme je l'avais pressenti, le spectacle de ses blessures a suffi à effacer les rancœurs et les gens se sont précipités pour le dévisager avec une curiosité gloutonne. Derrière son masque meurtri, que ressent-il ? Mon frère est moins attrayant qu'avant, un peu effrayant même, son âme est pourtant plus belle et plus forte...

Sous le porche après la messe, les hommes l'ont assailli de questions sur la victoire de Marignan, qui reste, au village comme ailleurs, le sujet de conversation favori.

20e jour de février

*D*ehors, la froidure ne faiblit pas. Je joue aux échecs avec Antoine, qui me vole mes cavaliers et enlève ma reine. Je finis par demander grâce et me rabats vers la cuisine grignoter du pain rôti, à défaut de confitures.

22e jour de février

*O*uf ! J'ai trouvé un perce-neige, première fleur du printemps. Le ciel s'adoucit. Je reprends espoir.

25e jour de février

J'ai seize ans aujourd'hui. Chacun m'embrasse, me dorlote, me cajole.

Nous étions à table lorsque ma mère a lancé cette petite phrase chargée de sous-entendus :

– Quel bel âge, Annette ! Seize ans, c'est la fleur de la jeunesse. Et cette année qui vient me semble remplie de promesses !

Je ne peux exclure qu'elle ait lu mon cahier pendant ma maladie et qu'elle soit au courant de tout. À dire vrai, je ne m'en soucie guère tant qu'elle ne contrarie pas mes projets.

28ᵉ jour de février

Ma mère a retenu à Amboise la même maison que l'été dernier. Après l'avoir beaucoup critiquée l'an passé, elle la trouve à présent commode et confortable ! Personne ne s'avisera de la contredire. Elle propose de m'offrir une nouvelle robe. Je la remercie : celle de l'an dernier, confectionnée par le tailleur d'Amboise, fera très bien l'affaire.

– Anne, tu n'y penses pas ! Tu as maigri depuis ta maladie et...

Je lui donne raison, pour qu'elle se taise, et je quitte la salle. Depuis quelque temps, les discussions autour des préparatifs vestimentaires me sont insupportables.

1er jour de mars

Que le ciel soit damné ! Il pleut à nouveau. Antoine a entrepris de ranger la bibliothèque. Je l'aide de mes deux mains, en laissant folâtrer mon cœur.

2e jour de mars

J'ai choisi dans la bibliothèque un livre d'Ovide intitulé *L'Art d'aimer*. Le troisième chapitre s'adresse aux femmes et donne toutes sortes de conseils sur la coiffure, l'élégance, la voix, les gestes…

Après cette lecture, je saurai tout sur la manière de séduire un homme.

5e jour de mars

Enfin, une vague douceur dans l'air !

Au réveil, Antoine a scruté le ciel et a décrété l'ouverture du « Champ de Mars » : le rassemblement des équipages en vue de la nouvelle saison guerrière.

– Pas de charrette : les chemins sont trop boueux. Nous irons à cheval ; tu monteras avec moi. Prévois une tenue de voyage et un petit bagage. Nous ne rentrerons pas le soir.

Un commandement tout à fait militaire en vue de l'expédition tant attendue, qui concerne en réalité Vénus plutôt que Mars !

J'obéis avec joie.

Un peu plus tard

Comment m'habiller ? Chaudement bien sûr, avec de la fourrure. Ce doublet de renard, par exemple, joliment ajusté, et puis ma bonne cape de laine brute qui protège des intempéries ; des bottes rouges, un jupon confortable et sans prétention, quelques rubans tout de même, à fixer au dernier moment si j'ai le temps.

Reinette étant un modèle de promptitude, je serai prête avant les autres.

❧

8e jour de mars

Nous sommes rentrés hier à la nuit.

Je ne tremble pas. Je n'ai pas les joues rouges. Je trempe posément ma plume. Mon cœur ne s'envole plus. Il s'est posé là-bas, contre une chemise blanche, dans la fournaise d'un atelier de verre.

Qu'importe ici le déroulement du voyage, que j'ai trouvé long et ennuyeux.

En arrivant vers Fréteval, nous n'avons pas eu à chercher longtemps la verrerie. J'avais les jambes chancelantes en descendant de cheval.

Nous sommes entrés dans une salle immense et surchauffée. Devant les fourneaux rougeoyants, des hommes en chemise et haut-de-chausses plongeaient de longues cannes dans les cuves remplies de matière incandescente.

Je l'ai cherché. Je l'ai vu. Il était là ! Il avait relevé les manches de sa chemise et soufflait dans la canne qu'il tournait avec dextérité afin de transformer lentement la boule de pâte. Concentré sur son ouvrage, il n'avait pas remarqué notre arrivée. Sans bouger, je l'ai admiré, pour la beauté de ses gestes et pour son savoir-faire.

– Vous voyez, il s'agit de former un objet en soufflant puis en le travaillant avec des ciseaux, a expliqué quelqu'un à côté de moi.

J'ai tourné la tête. Un très jeune homme me tendait un gobelet de vin chaud.

– Toutes les heures, ils s'arrêtent pour se désaltérer. C'est moi qui prépare les boissons, et j'apprends aussi à souffler. Regardez comme cela change vite !

La boule de pâte évoluait en effet vers un cylindre rouge foncé qu'il fallait ouvrir et étirer pour que le verre soit le plus fin possible.

Le jeune homme m'a quittée précipitamment.

– Il faut le réchauffer un peu, c'est moi qui m'en occupe ! a-t-il lancé fièrement.

Le manteau sur le bras et le gobelet à la main, je l'ai suivi puisqu'il m'ouvrait la voie vers Pierre du Queylat. Celui-ci ne voyait rien d'autre que la matière qu'il modelait.

Puis il s'est redressé pour tendre la canne à son jeune apprenti. Lorsqu'ils furent l'un à côté de l'autre, épaule contre épaule, j'ai remarqué à quel point ils se ressemblaient : même stature, mêmes gestes ; ils étaient frères, à n'en pas douter.

Après avoir essuyé son visage en sueur, Pierre du Queylat a tourné les yeux vers moi. Je n'ai pas eu le temps de me demander si j'étais assez belle, assez parée. J'avais oublié mes rubans et gardé mon doublet de renard ; mes joues étaient trop rouges et mes cheveux défaits...

Il s'est incliné.

— Est-ce dame Fortune qui m'accorde cette faveur ?

Sa voix, de roc et de métal, m'a émue jusqu'au fond du ventre.

— Certainement, monsieur. Si tel est le cas, le privilège vaut également pour moi.

Que dire de plus ? Comment engager une conversation intime dans ce grand atelier bruyant ? Je l'aurais volontiers regardé sans prononcer un mot, pour me familiariser avec la couleur de ses yeux, la forme de ses mains, ses épaules et ses bras sous la belle chemise blanche.

Le jeune homme s'est approché.

— Mon frère Aldo, apprenti souffleur et maître page, a précisé Pierre du Queylat avec une pointe de tendresse dans la voix.

– Et votre écuyer, monsieur, quand vous n'êtes point verrier ?

Il a souri, tandis que le jeune Aldo nous invitait à nous écarter du feu.

Resté à discuter avec le maître de la verrerie, Antoine nous a rejoints à cet instant et m'a glissé le petit paquet.

– Agis comme bon te semble mais, de grâce, ressaisis-toi ! Tu as des yeux de biche aux abois !

Merci, Antoine. Non, je n'ai pas l'intention de masquer mon émotion. Ce que je ne peux pas dire à cet homme, il faut bien qu'il le lise sur moi.

J'ai tendu le paquet.

– Monsieur, lorsque nous nous sommes rencontrés, vous cherchiez un miroir...

Les mots ne venaient pas aisément. Dieu, que cette démarche me semblait difficile !

– ... en voici un que je tenais à vous présenter et qui arrive tout droit d'Italie.

– Vous êtes venue jusqu'ici pour cela !?

Pas de moquerie dans la voix. Une exclamation incrédule autant qu'une question.

J'ai balbutié un « oui », le menton tremblant. J'avais envie de pleurer, tant je me sentais ridicule d'étaler ainsi mon cœur. J'ai reculé d'un pas vers Antoine, qui a tendu l'épaule et pris la relève, expliquant à Pierre du Queylat dans quelles circonstances ce miroir de Venise était entré en sa possession.

En matière de verre italien, mon frère en savait plus que moi. Je me suis détournée et j'ai quitté l'atelier. Dehors, le ciel était lourd. Aldo m'a rattrapée un peu plus tard, avec un nouveau gobelet fumant.

– Celui-ci est parfumé à l'orange. Cela vous remontera.

Il était tellement plus abordable que son frère ! Nous avons parlé avec simplicité de leur pays dans le Sud, des liens d'amitié entre leur famille et les vicomtes de Lautrec.

Au bout d'un moment, il m'a ramenée vers l'intérieur.

Assis auprès d'un feu de fougères, mon frère et Pierre du Queylat étaient en pleine discussion sur la campagne d'Italie. Antoine avait beaucoup à dire et semblait content. Je me suis assise furtivement.

– Vous nous avez fait l'honneur et le plaisir de cette visite ; je souhaiterais la prolonger...

Pierre du Queylat s'adressait à nous tous. Antoine est intervenu :

– Nous logeons à l'auberge en face de l'abbaye. Venez nous y rejoindre à la nuit tombée et partager notre souper. Nous boirons à la victoire, à la venue du printemps, à ce que vous voudrez !

Dehors, le vent s'était levé et soufflait avec aigreur. Bien au chaud sous mon doublet de renard, une petite voix chantonnait : *Je le reverrai ce soir... Je le reverrai ce soir.*

*R*einette vient de m'apporter la tisane pectorale que je me contrains à boire chaque soir jusqu'à la fin de l'hiver. Cet effort me donne le droit d'y ajouter une grosse cuillerée de miel, excellent remède pour la gorge.

Tout en dégustant le breuvage, je reprends mon récit :

À l'auberge, Antoine le Balafré fut vite reconnu comme un rescapé de Marignan et aussitôt entouré de multiples attentions, si bien qu'à l'heure du souper, il présidait une grande table dressée dans la salle de l'auberge. De mon côté, je n'avais qu'une idée en tête : être assise à proximité de Pierre du Queylat.

Lorsqu'il est arrivé avec son frère, il y avait foule à l'auberge. Notre intendant, prenant son rôle au sérieux, l'a immédiatement accaparé dans l'espoir d'obtenir des renseignements sur l'installation d'une verrerie. Je me suis donc intéressée à leur conversation pendant qu'Antoine, au milieu de la table, racontait son épopée italienne pour la centième fois.

– Mademoiselle de Cormes !

Malgré le brouhaha, j'aurais reconnu la voix entre toutes.

– Votre intendant m'apprend que vous possédez un vaste domaine, traversé par plusieurs cours d'eau. Avez-vous songé à en tirer profit ?

Je me suis sentie glacée tout à coup. Allait-il, comme Guillaume Binet, me jauger à ce que valait ma fortune ?

J'ai répondu d'un ton distant que le domaine possédait certes une rivière sableuse mais peu de forêts profondes, nécessaires à la fabrication du charbon de bois pour alimenter les fourneaux.

Il m'a écoutée en plissant les yeux puis, comme pour me rassurer, il a annoncé qu'il achevait ici un ouvrage personnel avant de regagner les verreries de sa famille, non loin de Foix, au sud de Toulouse.

Il était décidé à partir. Alors, qu'il sache au moins combien je m'intéressais à son art !

— Pensez-vous que vous fabriquerez un jour des miroirs où nous pourrons nous voir tout entiers ? ai-je demandé.

Il a secoué la tête.

— Pas moi de mon vivant, d'autres après moi sans doute. Au point actuel de nos recherches, le verre casse lorsque nous étalons à chaud la couche d'étain qui sert à refléter l'image. Nous devons résoudre cette difficulté et travailler à clarifier la pâte en employant du sable toujours plus propre, des cendres mieux adaptées.

Il était intarissable et enthousiaste ; il expliquait que le verre plat était difficile à obtenir, et qu'il en avait assez vu de ces miroirs bombés qui déforment les visages. Je l'écoutais de toutes mes oreilles. Il ne ressemblait à aucun autre. Il marchait la tête haute sur un chemin difficile, où chaque pas exigeait de la patience et de l'ingéniosité.

Le souper s'est achevé sans que j'aie porté attention au contenu des plats. J'avais grappillé quelques bouchées

140

çà et là, sans m'en rendre compte. Sa conversation m'enchantait ; nous étions plus proches, plus détendus qu'au début du repas.

– Anne, écoutez-moi.

Je ne faisais que cela ! Et je frémissais de l'entendre prononcer mon prénom.

– Anne, j'ai fait fondre les débris du petit miroir cassé ; j'ai tenté d'étudier la pâte. Si je parviens à réaliser un jour un miroir parfaitement clair, grand comme votre main, je vous donne ma parole que je traverse la France pour vous l'apporter.

En riant, je lui ai tendu ma main afin qu'il en prenne la mesure, et il l'a enfermée dans les siennes. J'ai rougi, frémi, frissonné. De grandes mains brunes qui font naître une matière lumineuse plutôt que manier l'argent ou l'épée. Oui, je voulais, je veux que ces mains-là soient celles qui me caressent. Celles-là et aucune autre. Maintenant que je le sais, tout est calme en moi. Je pourrais arrêter d'écrire dans ce cahier, mais j'ignore ce que veut Pierre du Queylat. Même s'il m'a regardée avec intensité au moment où nous nous sommes quittés.

– Je ne me souviens pas avoir jamais été aussi ému par un visage, a-t-il murmuré en prenant le mien entre ses paumes.

Si nous avions été seuls, j'aurais osé lui demander un baiser. Peut-être.

Peut-être l'aurait-il donné sans que je lui demande.

Maintenant, j'attends son baiser.

9ᵉ jour de mars

J'ai relu avec attention ce que j'ai écrit hier. Il n'y a rien à changer. Mon cahier connaît tout dans les moindres détails. Antoine également. Me voici donc dépendante de sa discrétion, qui n'est pas la première de ses qualités.

Pour l'instant, il ne dit mot et persiste dans son projet d'installer une verrerie à Cormes. Ce me paraît une décision trop hâtive. Je ne voudrais surtout pas que Pierre du Queylat se sente notre obligé. Mais je ne voudrais pas non plus d'une verrerie à Cormes dirigée par un autre que lui !

Nous allons bientôt rejoindre Amboise. Antoine aura ses entrées à la cour et les femmes à ses pieds, malgré sa balafre, ou plutôt grâce à sa balafre et à ses récits qui feront vibrer les cœurs. Ce succès le détournera de mes émois personnels.

Néanmoins, je n'oublie pas ce que je lui dois et trouverai à l'en remercier le mieux possible. Pierre du Queylat lui a rendu lui-même le petit miroir vénitien. Dès à présent, Antoine peut l'offrir à qui il voudra.

12ᵉ jour de mars

*A*vec l'aide de l'intendant, j'ai passé deux jours à consigner tout ce que nous avons appris sur le verre. J'en ai fait un petit cahier à part que je laisse ici.

13e jour de mars

Nous partons demain après la première messe du matin. Ma mère ne souhaite pas voyager pendant la semaine sainte et a décidé de fêter Pâques à Amboise, où se regroupent déjà les notables de Touraine. Le roi lui-même ne saurait tarder.

Amboise, 27e jour de mars, an 1516

Après une semaine de joyeuses retrouvailles et de festivités autour de la nouvelle année, je reprends la plume ce matin.

La ville d'Amboise me fait penser à une basse-cour colorée s'ébattant au soleil de printemps. Les beaux atours s'étalent de nouveau chez les fripiers ; les échaudés, les tourtes, les pâtés trônent sur l'étal du pâtissier ; les porteurs d'eau, les livreurs en tout genre courent d'un lieu à l'autre. Les auberges affichent complet, le prix des chambres monte à vue d'œil. La tante de Charlotte, qui a ouvert sa maison, ne peut loger une personne de plus. Et – j'ai gardé le meilleur pour la fin ! – Françoise Portia va se réinstaller d'ici peu dans la belle demeure italienne qu'elle occupait l'an dernier. La cuisinière l'a appris tout à l'heure chez le marchand italien où nous achetons les raviolis de chair, les raviolis aux herbes ou au sucre et autres délices d'outremonts qui font fureur ici.

Je retrouve partout l'effervescence qui accompagnait les fêtes royales de l'an passé. Il est pourtant bien révolu, le printemps de l'an 1515 !

28ᵉ jour de mars

*A*yant laissé ma chambre à Antoine, je partage avec ma mère le lit de la grande chambre et il m'est impossible d'écrire le soir comme je le faisais jadis. J'ai dressé une petite table dans la soupente, où je me réfugie dans la journée, le temps que Reinette n'y est pas. J'y cache aussi mon cahier, qui prend de l'épaisseur. J'ai dû rajouter des pages en les cousant aux autres avec une grosse aiguille et du fil de pêche.

Premier jour d'avril

*C*harlotte, que je suis allée embrasser chez sa tante, m'en veut un peu d'avoir quitté Tours sans prévenir. J'ai commis un petit mensonge en prétendant qu'Antoine était pressé de revoir Cormes. Il serait grand temps que je lui révèle toute la vérité. J'hésite. Je crains qu'elle ne sache garder le secret. Il y a un an, nous nous étions engagées à écrire chacune l'histoire de notre mariage, et c'est d'amour que je voudrais lui parler aujourd'hui. À ma connaissance, Pierre du Queylat n'a nullement exprimé qu'il cherchait une épouse. Alors, que dois-je raconter à Charlotte ?

De son côté, elle a renoncé à tenir son cahier. Elle exprime cependant le désir de lire le mien. Je vais y réfléchir.

2ᵉ jour d'avril

*R*ogier nous a amené Marguerite qui se languissait à Tours. Elle est arrivée avec de nombreux paquets commandés par ma mère, des friandises et de bonnes nouvelles de Mariette.

5ᵉ jour d'avril

*C*ontrairement à ce que j'avais pensé, Antoine évite de se montrer.

– Il y a trop de beauté autour de moi ! soupire-t-il.

J'ai de la peine pour lui, qui s'interdit d'exposer ici son visage ravagé, alors qu'il le faisait sans réticence à Cormes. Je lui ai proposé une sortie à une heure calme jusqu'au petit château de Cloux, à l'écart de la ville. Il n'a pas dit non.

*I*l s'est trouvé que Charlotte et Marguerite se sont jointes à nous et que Marguerite a préféré une visite au jeu de paume plutôt qu'une promenade au château de Cloux. Marguerite adore regarder les hommes en chemise courir après l'éteuf pour le rattraper avec la paume. Certains pratiquent le jeu en s'aidant d'un battoir ou d'une raquette mais pour elle, un vrai joueur n'utilise que sa main, gantée ou non.

Une fois assis parmi les autres spectateurs, Antoine a surmonté son malaise. Les gens autour de nous avaient les yeux rivés sur le jeu, sans souci des allées et venues dans la salle. Ils se sont empressés de huer le joueur qui a voulu abandonner la partie pour changer de chemise, ce qui est strictement interdit. Marguerite nous a expliqué les règles avec tant d'enthousiasme que Charlotte et moi avons été conquises. Antoine, lui aussi, s'amusait beaucoup. Marguerite n'a pas pu s'empêcher de parier sur un joueur, nous avons choisi l'autre et, contre toute attente, nous avons gagné ! Pour fêter cette victoire, nous sommes allés bras dessus bras dessous jusqu'à la taverne de la Salamandre.

Il a fallu qu'en chemin nous tombions sur Guillaume Binet ! Contrairement à Charlotte, il n'avait pas revu Antoine depuis son départ à la guerre. Il s'est arrêté pour échanger quelques mots avec lui et il a fait l'effort de me saluer, juste pour me glisser cette petite phrase perfide :

– Je vois que vous avez trouvé un rôle qui vous convient : celui d'accompagner en tout lieu le héros blessé. Vous ne manquerez pas de faire des rencontres passionnantes !

J'enrage de n'avoir pas su quoi lui répondre. C'était habile de sa part de glorifier Antoine tout en m'égratignant au passage. Charlotte était offusquée.

– Tu comprends maintenant pourquoi je me méfie de ce fourbe !

Par chance, la taverne était toute proche, et le patron fort accueillant. Drôle et pétulante comme jamais, Charlotte nous a fait pleurer de rire. En sortant, je l'ai embrassée.

Je ne rêve que d'une chose, c'est d'être au bras de Pierre du Queylat lors d'un prochain bal à la cour et d'avoir à lui présenter Guillaume Binet, ce que je ferai du bout des lèvres, en y glissant une pointe de mépris. Ah, je m'en réjouis d'avance !

Et je ne suis qu'une idiote de laisser mon cœur s'emporter, une fois de plus.

8ᵉ jour d'avril

Je l'attendais sans y croire. Je l'ai ouverte en frémissant et je regrette presque de l'avoir lue. C'est une lettre que Pierre du Queylat m'a envoyée à Cormes et qui vient de me parvenir ici. Il m'écrit qu'il quitte la Touraine avec l'espoir d'y revenir « bientôt »... Ce mot incertain soulève mon inquiétude. Qu'est-ce à dire ? Au cours de l'été ? De l'automne ? Dans plusieurs années lorsque je serai mariée à un autre ?

Certes, il termine par une belle phrase : *J'emporte avec moi le souvenir de votre visage lumineux, et du bonheur que j'ai eu à vous rencontrer.* Mais il ne dit pas s'il souhaite me revoir ni quand...

Je sens le doute s'installer sournoisement.

Or, je ne veux pas douter de lui ! Je veux croire qu'il sera là dès qu'il le pourra. A-t-il emmené avec lui son bel ouvrage de verre ? Ou bien ce chef-d'œuvre l'attend-il dans les réserves de la verrerie ? Dans ce cas, il faudra bien qu'il revienne le chercher. Vite !

9ᵉ jour d'avril

Reinette à côté de moi sifflote comme un pinson. La vie à Amboise lui semble délicieuse.

Elle a quitté sans regret son berger de Cormes.

– Il ne savait que parler de ses moutons ! me dit-elle en levant les yeux au ciel. Et l'hiver à Cormes, c'est moins plaisant que l'été.

Ah ! Tout serait plus facile si j'avais un cœur léger comme le sien.

Un peu plus tard, ce même jour

Quel dommage que je ne puisse plus écrire le soir au lit. C'est le moment où mon cœur a envie de s'évader.

1ve jour d'avril

Nous avons fait, Antoine et moi, une promenade vers le petit château de Cloux que je souhaitais revoir l'autre jour. En cheminant, je lui ai demandé s'il regardait parfois son visage dans le petit miroir vénitien.

– Oui, a-t-il répondu. Il faut bien que je sache ce que voient les autres. Et il n'est pas dit que les miroirs sont réservés au spectacle de la beauté, n'est-ce pas ?

– Même enlaidi par ta blessure, tu es plus plaisant que Guillaume Binet.

Il a eu un petit rire amer.

– Je voudrais bien que ce soit l'avis des demoiselles qui se laissaient volontiers courtiser l'an passé ! Toi, tu es ma sœur ; je ne te demanderai pas en mariage ; cela ne t'engage pas beaucoup de me trouver... acceptable.

Il avait raison. Je me suis tue, accablée par ma maladresse. Nous arrivions devant le château. En me dressant sur la pointe des pieds, j'ai pu apercevoir la façade rose et blanc et la jolie chapelle. Bien plus grand que Cormes, il appartient au roi, qui y reçoit des hôtes de marque. D'après Antoine, c'est un artiste italien qui va s'y installer d'ici peu, un nommé Leonardo da Vinci.

– À Milan, au couvent des Dominicains, il a peint un tableau de la Cène au fond du réfectoire. Les gens se précipitent pour l'admirer et bien des artistes l'ont déjà copié.

– Tu l'as vu, toi ?

Il hoche la tête.

– Cela ne ressemble à rien de ce que nous avons chez nous.

Sur le chemin du retour, il m'a parlé de l'Italie, du duché de Milan et de Leonardo da Vinci. J'ai mesuré à quel point j'étais ignorante de toutes ces nouvelles choses.

12e jour d'avril

– *P*uisque la main droite suffit et que la mienne est assez habile, je vais reprendre le jeu de paume, a déclaré Antoine ce matin.

Marguerite a proposé de l'accompagner ; le contraire aurait étonné la Terre entière !

Moi, je préfère rester seule à ressasser mes tourments et je trouve que mon entourage est bien plus courageux que moi, ce qui assombrit encore mon humeur.

150

13e jour d'avril à l'aube

Ma mère a ronflé et j'ai mal dormi. J'ai passé la nuit à chercher des réponses. En voici au moins une : c'est décidé, je fais lire mon cahier à Charlotte. Oui. Un peu d'audace, que diable ! Que peut-il m'arriver ? Je lui porte après dîner.

26e jour d'avril

Que le temps m'a semblé long ! Sans se rendre compte qu'il me manquait à ce point, Charlotte a pris son temps pour lire mon cahier ! Je me suis juré de ne pas lui en vouloir, d'autant qu'elle était fort occupée à compter les points au jeu de paume avec Marguerite et Antoine.

Quand elle me l'a rendu hier soir, elle m'a glissé qu'elle était jalouse.

– De quoi ? ai-je demandé avec stupeur.

– De toutes ces belles choses que tu ressens !

J'ai pris cet aveu pour un compliment qui, par ailleurs, n'avance guère mes affaires de cœur ! Pierre du Queylat souffle le verre là-bas dans son pays, et moi je suis à Amboise sans savoir si je dois ou non l'attendre.

Gardons néanmoins la tête haute.

Par où commencer ? Le roi François est à Amboise et les festivités reprennent. La reine Claude attend un deuxième enfant. En Italie, le connétable de Bourbon gouverne le duché de Milan au nom du roi et le vicomte de Lautrec s'apprête à effectuer un bref séjour à la cour avant de regagner l'armée.

Plus près de moi, tout près de moi, le grand événement, c'est ma visite chez Françoise Portia. Ma mère et moi y sommes allées une première fois la semaine dernière ; elle nous a reçues avec son exubérance habituelle, nous racontant moult détails sur l'hiver qu'elle a passé à Lyon et sur le retour du roi en février dernier.

– Il avait déjà retrouvé les trois Grâces en Provence... Oui, son épouse, sa sœur et sa mère, l'inséparable trio, explique-t-elle en me voyant ouvrir des yeux ronds. Nous, les Florentins, nous disons les trois Grâces en souvenir du tableau de Raffaello Sanzio, un célèbre peintre de chez nous.

Devant mon air ignorant, elle observe :

– Il me semble, ma chérie, que tu as tout à apprendre sur l'Italie !

– Et moi je devrais plutôt dire les deux Grâces et la grosse ! ajoute-t-elle en mimant le ventre déjà rond de la petite reine Claude.

Je me pince les lèvres pour garder mon sérieux, tandis qu'elle se noie dans mille potins tout en servant des beignets nappés de sauce à l'orange.

De ce discours confus, j'ai retenu que le roi avait revu à Lyon Françoise de Châteaubriant, une femme éblouissante, ancienne demoiselle d'honneur de la reine Anne. Si belle, insiste Françoise Portia, que les anges du ciel se damneraient pour elle.

Cela m'a laissée rêveuse.

Lorsque nous la quittons, la tête un peu bourdonnante, elle me fait un signe discret.

– Reviens me voir toute seule !

Puis elle rit, elle bat des mains et referme brusquement la porte comme à l'accoutumée.

Intriguée, j'y suis retournée avant-hier.

Elle m'installe dans le jardin sous la treille et, à peine assise, m'accable de reproches :

– Je dois te réprimander avec la plus grande sévérité car tu t'es séparée sans m'en avertir de quelque chose de très précieux. Pourquoi as-tu fait cela ?

Je n'ai pas cherché longtemps le sens de ses paroles. Elle parlait de la robe ! Un peu gênée, j'ai donné les raisons qui m'avaient poussée à m'en défaire.

– Alors viens ! souffle-t-elle.

Elle m'entraîne par la main jusqu'au cabinet derrière sa chambre où je découvre... la robe, pendue à la perche de bois, plus splendide encore que dans mon souvenir.

D'émotion, je me suis assise par terre.

– Tu vois, rien ne manque, ni les galons ni le cabochon de jade.

– Juste le petit miroir cristallin, ai-je péniblement articulé. La robe, vous... vous l'avez rachetée ?

– Oui ! s'écrie-t-elle en tendant les bras au ciel. J'ai été saisie d'une grande colère en la voyant à l'étal du fripier. Je ne pouvais la confondre avec aucune autre, n'est-ce pas ? Ma petite Anne, quand le destin t'envoie un cadeau pareil, ne laisse personne d'autre s'en saisir ! Et l'amour alors ? L'amour, tu n'en veux pas ?

Mme Portia est décidément un peu folle et il me semble que son séjour à Lyon n'a pas arrangé les choses. Néanmoins, je tente de lui répondre avec raison.

– Je n'ai pas remarqué que cette robe m'ait porté chance jusqu'à présent.

– As-tu été assez persévérante ?

Sa réaction me laisse pantoise. Peut-être est-elle dans le vrai ! Après tout, c'est bien grâce à la robe que j'ai rencontré Pierre du Queylat.

Elle conclut :

– Cette robe est à ta disposition. Tu peux venir la chercher quand tu voudras.

En silence, je mesure la délicatesse de son geste. Et je murmure très bas :

– J'ai bien de la chance de vous avoir rencontrée !

La grande exubérance de Mme Portia s'efface brusquement pour laisser place à une confidence très grave.

– Anne, le ciel n'a pas daigné me donner des enfants. Alors, tu vois, j'ai le cœur vide !

Nous avons un peu pleuré ensemble avant de nous séparer. La robe m'attend chez elle.

Je ne sais plus du tout ce que je dois faire.

27ᵉ jour d'avril

Maintenant que j'ai retrouvé mon cahier, je ne le quitte plus. Je m'installe au bord de l'Amasse, où j'ai trouvé un endroit charmant pour écrire car la soupente de Reinette me paraît vraiment trop grise, comparée à la lumière du dehors.

Je pense à la robe. Quel bonheur de la savoir tout près de moi !

29ᵉ jour d'avril

D'après Antoine, la comtesse de Châteaubriant, qui a tant ébloui Mᵐᵉ Portia et toute l'assemblée à Lyon, n'est autre que Françoise de Foix, la sœur de M. le vicomte de Lautrec.

– Il parlait sans cesse de sa sœurette et vantait sa beauté à qui voulait bien l'entendre. Ces gens du Sud sont étonnants. Est-ce que je crie à tout vent que la mienne a le plus joli sourire du quartier ? Hein ? De quoi aurais-je l'air si je me trompais ?

J'avale à la fois la boutade et le compliment. Et j'en déduis qu'Antoine est de bien meilleure humeur depuis qu'il passe ses journées au jeu de paume.

1er jour de mai

Mai est le mois de l'amour. Mon cœur recommence à battre.

3e jour de mai

Le mois de l'amour, disais-je avant-hier. Obéissant aux exigences de ma mère, Rogier a rapporté de Cormes une charretée de légumes et de fleurs, de foin et de grain, et nous dit qu'un arbre de mai a été planté devant la porte du manoir dans la nuit du 30e d'avril au 1er de mai. L'intendant était absent ; les villageois n'ont rien entendu et ignorent tout du mystérieux visiteur qui s'est donné la peine d'honorer... qui ?

4e jour de mai

Antoine est rentré à la maison.

— M. de Lautrec est nommé gouverneur du duché de Milan à la place du connétable de Bourbon.

La nouvelle a l'air de l'affecter ; j'essaie de m'intéresser :

— Qu'en penses-tu, Antoine ? Comment le connétable prendra-il la chose ?

— Fort mal, je suppose ! À moins que la décision ne

vienne de lui. Ce qui est certain, c'est que le roi cherche à privilégier M. de Lautrec.

– Pourquoi ?

– Pour le récompenser de sa bravoure et de sa fidélité et parce que sa sœur s'appelle Françoise de Foix… Tu sais combien que le roi aime à s'entourer de belles femmes…

Il est sorti de la cuisine avec un air satisfait qui m'a étonnée. Je ne saisis pas bien pourquoi il n'a plus que le nom de Françoise de Foix à la bouche.

6e jour de mai

*D*iantre ! Je ne suis pas au bout de mes surprises.

Il y a quelques instants, Charlotte et Antoine étaient là devant moi, tout sourires et complices.

Antoine a pris sa plus belle voix pour m'expliquer que le chiffre de Françoise de Foix – encore elle ! – se composait de deux F, qu'il les avait vus gravés sur du verre et marqués au filigrane d'or.

Je ne comprenais pas où il voulait en venir, mais il parlait de verre et ce n'était pas anodin. Après une pause pour mesurer l'effet produit, il a continué de la même voix solennelle :

– Un somptueux cadeau marqué aux initiales de Françoise de Foix, un service de table, coupe et aiguière d'une extrême finesse en verre gravé à la feuille d'or, a été commandé par Odet de Lautrec à un maître verrier inconnu, mais d'une grande virtuosité, qui porte le nom de Pierre du Queylat.

J'ai blêmi ; ils m'ont empêchée de me lever ; Charlotte a pris la parole à son tour :

– Le talentueux maître verrier a livré l'ouvrage à Amboise aujourd'hui même. En outre, il a remis à la reine Claude de la part de Françoise de Foix une coupe si belle qu'on croit y voir le paradis.

– Tu... vous les avez vus ? ai-je balbutié. C'était donc ça, son grand ouvrage !

Très cérémonieusement, ils hochent tous deux la tête en même temps. Pas de mensonge. Tout est bien vrai. Cela signifie que Pierre du Queylat est à Amboise.

Les larmes aux yeux, je me suis jetée dans les bras de Charlotte.

– Nous avons mené une enquête avec le plus grand sérieux et utilisé le jeu de paume pour nos conciliabules. Marguerite s'y est mise, même notre intendant a pris des renseignements à la verrerie.

Ne sachant comment les remercier, je bafouille des mots de gratitude. Ils éclatent de rire.

– C'était palpitant ! Nous savions que Pierre du Queylat remontait à bride abattue pour être à Amboise en même temps que son ami Lautrec, et nous ne pouvions pas te l'annoncer !

Et Antoine de conclure :

– Maintenant, Anne, c'est à toi de jouer.

À l'heure où j'écris, je ne l'ai pas encore revu. Je me tiens sagement dans ma chambre au lieu de courir les auberges de la ville à sa recherche, mais mon cœur me dit qu'en descendant de la verrerie vers Amboise, il s'est arrêté à Cormes planter un arbre de mai.

7ᵉ jour de mai,
au soir

Je m'étais juré ce matin de faire chaque chose comme d'habitude. J'ai tenu bon en pensant qu'il me trouverait au moment voulu, après m'avoir cherchée un peu. Je l'avais bien cherché jusqu'à sa verrerie, moi !

Je suis donc allée sur les bords de l'Amasse, accompagnée de Marguerite, et je me suis assoupie à l'ombre du saule. C'est le sabot du cheval qui m'a réveillée. Marguerite s'est discrètement éloignée après m'avoir recommandé d'être... raisonnable ! La suite est si simple à raconter. Moi, assise contre lui, ses bras autour de moi, à respirer son odeur, à contempler son cou, son bras, ses jambes de cavalier, son vêtement de voyage, si simple pour un gentilhomme... Lui, la main dans mes cheveux, sa bouche effleurant mes tempes et mon front, par petites touches, entre deux mots. Plus tard, il est venu chercher la mienne et j'ai perdu la tête sous son baiser.

Puis nous avons ri en nous voyant rouges et fiévreux, nous avons parlé, recommencé et ri de nouveau.

Plus tard encore, il m'a installée devant lui sur son cheval et nous sommes rentrés au pas vers la ville, en prenant toutes sortes de raccourcis qui ont beaucoup rallongé notre route. Il chuchotait des mots enivrants, la bouche collée à mon oreille ; il a chanté aussi, dans la langue occitane de chez lui. En débouchant de la ruelle du Mont-Renart, nous avons croisé Guillaume Binet qui, d'ébahissement, a failli laisser tomber son menton sur le pavé. Je lui ai fait un signe distant de la main, sans me retourner. J'espère bien qu'il nous a suivis des yeux. Pierre du Queylat monte un cheval magnifique et je suis sûre que nous étions très beaux tous les deux, à chevaucher ainsi dans la lumière du soir.

8ᵉ jour de mai, au matin

Hier soir, alors que j'avais rangé mon encrier, ma mère a annoncé qu'il y aurait bientôt fête au château pour la cour et les habitants d'Amboise, une fête promise par le roi dès son retour de la guerre.

J'irai dans la journée chercher la robe chez Mᵐᵉ Portia.

Et il sera temps d'effacer les mauvais souvenirs.

9e jour de mai

*L*a robe est ici, à quelques pas de moi. Ma mère s'est contentée de sourire en la voyant accrochée dans le petit cabinet, ce qui me laisse penser qu'elle a découvert ou deviné toute l'histoire.

❦

12e jour de mai,
fête de la Pentecôte

*V*ite, quelques mots !

Je suis habillée, parée, coiffée. Pour cette journée, qui doit être la plus belle entre toutes, j'ai choisi une nouvelle coiffure à l'italienne : une toque garnie d'une torsade de soie et couverte de résille. Françoise Portia, qui me l'a conseillée, l'appelle un *balzo*.

C'est au bras d'Antoine que je monte au château. À moins que je ne le laisse à Charlotte… Là-haut, m'attendent ceux de Pierre. J'ai tellement de chance ! Dame Fortune, par pitié, ne me lâchez pas.

13e jour de mai

*I*ls étaient tous là, dame Fortune, saint Valentin, la Vierge Marie, la déesse Vénus, les saints du ciel et les anges gardiens. Tous présents et bien cachés, car je n'ai vu que Pierre.

En arrivant sur l'esplanade, je l'ai cherché sans le trouver. Riant de ma déconvenue, Antoine et Charlotte m'ont indiqué le logis de la reine. Sans doute était-il là-bas, à présenter son ouvrage que la reine Claude a fait exposer dans une petite chambre sous la surveillance d'un garde, afin que personne n'y touche.

Je l'ai aperçu en effet, qui s'entretenait avec un groupe d'admirateurs. Cela m'a étonnée de le voir vêtu en courtisan, d'un pourpoint de velours cramoisi qui laissait éclater la blancheur de la chemise. Je l'aime tout autant dans son habit sobre de gentilhomme de verre, auquel je me suis si bien habituée.

Afin ne pas déranger la conversation, je suis allée vers le dressoir où étaient présentés les précieux objets. Les mots me manquent pour les décrire. C'est comme s'ils venaient d'un autre monde, plus léger que le nôtre : la coupe de la reine, aussi large que deux mains ouvertes, paraissait tendre une offrande ; une autre, ciselée d'un motif blanc, semblait en attendre une au contraire. Les deux F de Françoise de Foix s'enroulaient délicatement sur le col de l'aiguière et s'arrondissaient plus loin sur le ventre d'un flacon. C'était beau, raffiné, exaltant.

Les visiteurs s'attardaient, d'autres allaient entrer. Je sentais mon cœur qui s'impatientait.

C'est alors que je l'ai entendu murmurer derrière moi :

162

– Mes hommages, mademoiselle de cristal !

Il avait un regard très ému. Je me suis souvenue que je portais la robe, que nous avions commencé à effacer la trace des mauvais souvenirs.

Ah, comme les fêtes se répètent sans se ressembler ! Au lieu de la frayeur et de la déconvenue, celle d'hier m'a apporté des nouveautés enivrantes, inoubliables ...

Nous étions tous les deux penchés sur les aiguières et les flacons, nos doigts entrelacés, nos souffles contenus par l'émotion, lorsque sont entrés le roi et M. de Lautrec, suivis d'un cortège de dames. Il a bien fallu se séparer, se redresser et saluer. J'ai fait ma plus gracieuse révérence tandis que M. de Lautrec entraînait familièrement Pierre vers le roi François.

– Mon ami, a dit le roi, l'élégance et le raffinement avec lesquels vous avez servi Françoise de Foix me vont droit au cœur. Aux cadeaux de M. de Lautrec, son frère, j'ajouterais volontiers le mien qu'il faudra lui transmettre : mon invitation à venir séjourner ici autant qu'il lui plaira.

– Quelle bonne idée, Sire ! a répondu le vicomte de Lautrec. Puisque je repars demain tenir mon rôle à la tête du duché de Milan, je confie ces présents à la garde de Votre Majesté, dans l'espoir que Françoise viendra les chercher elle-même.

Un petit gloussement se propage dans le groupe des dames, et Marguerite d'Alençon, la sœur du roi, fait remarquer :

— Il va sans dire que l'extrême beauté de Françoise de Foix sera un bienfait pour la cour tout entière et pour mon frère en particulier.

Tout le monde s'esclaffe. Le roi lui-même rit de bon cœur avant de s'adresser de nouveau à Pierre :

— Monsieur, puisque vous avez fait le pari de découvrir la transparence du verre, je vous conseille vivement de vous attarder quelque temps ici afin d'y rencontrer celui que je viens de nommer peintre et architecte de ma maison. Il s'agit du grand Leonardo da Vinci, que j'attends avec impatience. Ce maître représente à lui seul tous les espoirs de notre temps. Prodigieusement doué en tout, il aura sans doute beaucoup à vous apprendre sur la fabrication de verre cristallin.

Pierre s'incline pour remercier.

— Ainsi, reprend le roi en guise de conclusion, puisque le ciel me donne la chance de recevoir à ma cour messire Léonard, qui représente à lui seul le génie et l'invention, m'accordera-t-il aussi celui d'y accueillir la beauté incarnée ?

Les rires ont fusé de nouveau.

— Est-elle vraiment si belle ? ai-je soufflé, le cœur un peu serré, lorsqu'ils furent dehors.

— Je crois que oui mais je ne la connais pas. Elle a été élevée à la cour de la reine Anne et mariée il y a quelques années à un gentilhomme breton.

Pierre, qui m'a repris les mains, parle d'une voix neutre.

Soulagée, je l'avoue, que cette femme sublime ne soit pour lui qu'une figure lointaine, j'ose poser la deuxième question, ô combien plus importante :

– Allez-vous accepter la proposition du roi et rester un peu en val de Loire ?

Comme il tarde à répondre, je ne peux m'empêcher d'ajouter :

– Moi, je passerai tout l'été à Cormes. Ce n'est pas très loin...

Une lueur furtive dans ses yeux m'invite à poursuivre :

– Cette année, un galant y a dressé un arbre de mai...

– Pour la jeune maîtresse des lieux, cela s'entend. D'ailleurs, ce galant en aura profité pour admirer le vallon rempli de brume, la ramure majestueuse du vieux chêne et l'audace de la vigne qui monte à l'assaut de la tour.

– Je l'aime ! ai-je murmuré, éperdue.

Son sourire s'est étiré.

– Qui ? Quoi ? Le manoir ou le galant qui a dressé le mât de mai ?

J'ai balbutié je ne sais quoi, et il m'a récompensée par le plus époustouflant baiser qui fut donné et reçu hier à la cour d'Amboise.

La journée a passé dans cet état de bonheur indicible. Nous avons dansé la gaillarde et la volte, et folâtré autour des piliers de la galerie.

Plus tard, alors que nous redescendions dans la nuit fraîche, le bras de Pierre enveloppait étroitement mon épaule. Devant nous marchaient Charlotte et Antoine.

Charlotte tenait dans sa main un petit miroir en verre cristallin de Venise, qu'Antoine venait de lui offrir.

POUR ALLER PLUS LOIN

1515, Marignan

En janvier 1515, le jeune François Ier, un géant de deux mètres âgé de vingt ans, succède à son cousin Louis XII. À ce moment-là, le centre du royaume se trouve non pas à Paris, mais plutôt sur la Loire, entre Tours et Amboise, le château où François a passé sa jeunesse. Ces villes connaissent donc une fortune extraordinaire, liée à la vie de la cour et des courtisans. Parmi ceux-ci, les très riches familles qui ont réuni au cours des ans d'immenses fortunes en administrant les affaires du roi, comme les Briçonnet.

Entre le royaume de France et l'Italie

Depuis plus de vingt ans, les rois de France mènent une série de guerres connues sous le nom de « guerres d'Italie ». L'Italie que nous connaissons aujourd'hui n'existe que depuis la fin du XIXe siècle. À l'époque du roman, elle se compose de petits États, dont certains extrêmement riches et puissants qui se livrent à des guerres incessantes. Pour s'imposer, les Français doivent disputer le contrôle de l'Italie du Nord aux armées du pape, à celles de la république de Venise et à celles des cantons suisses indépendants. Charles VIII, le fils de Louis X, est le premier roi de France à se lancer dans l'aventure italienne, en allant conquérir le royaume de Naples en 1494. Son successeur, Louis XII, retente l'aventure en conquérant le duché de Milan et en reprenant à nouveau Naples en 1499; en 1509, Louis XII retourne dans la péninsule pour battre les Vénitiens à Agnadel.

Malgré ces victoires, les armées françaises ont donc dû, à trois reprises, rebrousser chemin. Quand François Ier succède à son cousin, en janvier 1515, son premier souci est de reprendre la guerre en Italie. En septembre, à l'issue d'une bataille meurtrière, il est vainqueur des Suisses et reprend pied dans le duché de Milan. Et cette date « Marignan 1515 » restera longtemps gravée dans la mémoire des écoliers français.

Par ces guerres, les rois de France vont chercher la richesse et la gloire en Italie. Si leurs projets sont contrariés par cette alternance de victoires et de défaites, les contacts se multiplient entre la riche Italie et le royaume de France. Le symbole en sera la venue du formidable ingénieur et artiste Léonard de Vinci à Amboise, où il meurt en 1519. Déjà, depuis un quart de siècle, les marchands, les artisans, les artistes italiens sont attirés par la cour de France et viennent s'installer dans les villes royales. Par leur intermédiaire circulent des produits, des techniques, des idées en provenance de toute la Méditerranée.

Un nouveau pouvoir

Le jeune roi François Ier inaugure une nouvelle forme de pouvoir que l'on appellera plus tard l'absolutisme. Pour s'imposer à ses sujets, le roi affiche désormais le luxe et la splendeur de sa vie quotidienne à travers des fêtes, des bals et des banquets somptueux dans des châteaux magnifiques. Il doit montrer son courage et sa force à la chasse et à la guerre. Lorsqu'il est sur les champs de bataille, des musiciens et des poètes chantent ses exploits, et le créditent de la gloire des chevaliers, dont le modèle est le chevalier Bayard « sans peur et sans reproche » qui, selon la légende, aurait adoubé le roi lui-même au soir de la victoire de Marignan. En accueillant à sa cour les plus grands artistes, François Ier se veut aussi le protecteur des arts et des lettres.

Le monde s'élargit

En avril 1507, un imprimeur de Saint-Dié, une ville des Vosges, décide de réimprimer un atlas géographique, la cosmographie de Ptolémée, en y ajoutant les terres nouvelles découvertes depuis le premier voyage de Christophe Colomb en 1492. Le jeune géographe du nom de Martin Waldseemüller qui dessine ces nouvelles terres se propose de les nommer « nouveau monde », comme l'avait fait l'un des Florentins installé à Séville auprès de Christophe Colomb, Amerigo Vespucci. « On pourrait appeler ces terres désormais d'*Americus* ou *America*, puisque c'est *Americus* (forme latine du prénom italien) qui les a découvertes » écrit Waldseemüller. Ce Nouveau Monde n'est pour l'instant qu'une curiosité, et en attendant que le monde s'élargisse véritablement, d'autres problèmes attendent le jeune François Ier. Rapidement, il devra abandonner ses rêves de conquête en Italie et résister aux ambitions de Charles Quint.

Rétrospectivement, les historiens désigneront ces changements sous les noms de Renaissance et d'humanisme pour souligner cette soif de connaissances nouvelles et ce sentiment qu'ont eu les hommes de ce temps de voir disparaître un monde ancien et en apparaître un nouveau.

QUELQUES DATES

1494-1516: premières guerres d'Italie. Charles VIII puis ses successeurs veulent récupérer leurs terres italiennes.

12 septembre 1494: naissance à Cognac de François, héritier de Louis XII.

25 janvier 1515: sacre de François Iᵉʳ à Reims.

13-14 septembre 1515: victoire de François Iᵉʳ sur les Suisses à Marignan (Italie) qui a pour conséquence le concordat de Bologne (réglant les relations entre le royaume de France et la papauté jusqu'à la Révolution) et la « paix perpétuelle » avec les cantons suisses.

1516: le roi fait venir Léonard de Vinci en France.

1521-1559: guerres d'Italie entre les Valois (François Iᵉʳ puis Henri II) et les Habsbourg (Charles Quint puis Philippe II).

DES LIVRES ET DES LIEUX

À LIRE

Léonard et cinq génies de la Renaissance
par Brigitte Coppin, Castor poche Flammarion
La Renaissance. Voyage dans l'Europe des XVe et XVIe siècles,
par Brigitte Coppin, Autrement Junior
Rois et reines de France, par Brigitte Coppin, Nathan
Dictionnaire des rois et des reines de France,
par Brigitte Coppin et Dominique Joly, Casterman
Journal d'un enfant au temps de la Renaissance,
par Karine Safa, Gallimard Jeunesse
Les trésors de la Renaissance, par Andrew Langley,
Les Yeux de la Découverte, Gallimard Jeunesse

À VISITER

Les châteaux de Chambord, d'Amboise et de Blois

L'AUTEUR

Brigitte Coppin est née en 1955 en Normandie, dans une grande maison campagnarde entourée de murs si épais qu'elle leur doit son amour des châteaux forts. Dévoreuse de livres dans une enfance solitaire, elle se plonge dans l'histoire pour ne plus jamais la quitter. Et c'est par goût du passé, essentiel pour comprendre le présent, qu'elle commence à écrire. Elle a signé à ce jour une soixantaine de publications pour la jeunesse, documentaires et romans historiques, sur le Moyen Âge et la Renaissance.

CRÉDITS PHOTOGRAPHIQUES

Couverture : France, Loir-et-Cher (41), château de Blois, la salamandre, emblème de François Ier © RIEGER Bertrand / Hemis.fr

Mise en pages : Karine Benoit

Loi n° 49-956 du 16 juillet 1949
sur les publications destinées à la jeunesse

N° d'édition : 268484
Premier dépôt légal : juillet 2008
Dépôt légal : mars 2014
ISBN : 978-2-07-061739-5

Imprimé en Italie par L.E.G.O., Lavis (Trento)